Chère Lectrice,

*Vous lisez avec passion les histoires
de nos séries Romance et Désir. Vous les aimez,
vous les adorez, et vous aimeriez prolonger
encore ce moment privilégié que vous vivez
en compagnie de vos héroïnes préférées.*

*Harmonie, ce sont des romans plus longs,
riches en détails pittoresques, des romans
pleins de réalisme et de rêve.*

**Harmonie : des romans
pour faire durer votre plaisir,
quatre nouveautés par mois.**

Madrid, la porte d'Alcalá

Série Harmonie

BARBARA FAITH

Rendez-vous d'été

1 0 AVR 1991

Les livres que votre cœur attend

Titre original : *The Promise of Summer* (16)
© 1983, Barbara Faith
Originally published by SILHOUETTE BOOKS
a Simon & Schuster division of Gulf
& Western Corporation, New York

Traduction française de : Caroline Thomas
© 1984, Éditions J'ai Lu
27, rue Cassette, 75006 Paris

Chapitre 1

— Olé ! cria la foule.

Les encouragements retentirent dans l'arène puis s'apaisèrent. Après quelques minutes d'un profond silence, ils montèrent de nouveau :

— Olé ! Olé !

Les cris fusaient, de plus en plus rapprochés, pour ne plus former qu'une immense clameur. Soudain, d'un seul élan, les spectateurs, fous d'enthousiasme, furent debout et entonnèrent une interminable ovation. Spontanément, Isabel Newman se leva comme les autres, agita son chapeau de paille rose et joignit sa voix à la marée de cris enthousiastes qui félicitaient Alejandro Cervantes.

— Bravo, matador, bravo !

L'homme en costume de satin noir rehaussé de broderies argentées évoluait sous ses yeux avec la grâce d'un danseur. Face au taureau, il le regardait avec arrogance et, défiant la mort, appelait l'animal d'une voix impérieuse :

— *Toro ! Ahaa ! Toro !*

L'énorme bête chargea, suivit la cape rouge qui ondulait au soleil et passa en effleurant la hanche droite du torero. Sans bouger d'un pas, l'homme attendit quelques secondes puis pivota pour affronter de nouveau l'animal.

— Viens, dit-il alors. Viens, *toro* !

Au côté d'Isabel, Esteban exultait.

— Que pensez-vous de mon cousin ?

— Extraordinaire, murmura la jeune femme en frottant ses paumes moites l'une contre l'autre.

C'est à ce moment que le taureau chargea. Tête baissée, les cornes en avant, il fonça sur le matador, le frôla dangereusement, laissant sur ses habits une longue traînée de sang.

Esteban tressaillit d'angoisse.

— Assez, Alec, arrête, dit-il entre ses dents.

Dans l'arène, les passes se succédaient, la *muleta* rouge tournoyait, le matador s'agenouillait, se redressait, virevoltait, exécutant avec précision la chorégraphie infiniment mobile qu'imposaient les réactions capricieuses de l'animal.

Il enchaîna ensuite une série de *derechazo*, encore appelées passes en rond, qu'il termina par une passe surprenante. Le public applaudit frénétiquement tandis que le matador effectuait déjà une suite de *naturales* : l'épée brandie, il allait au-devant du taureau et agitait la cape rouge sous ses yeux. Les pieds rivés au sol, il forçait la bête à passer à côté de lui tout en décrivant avec son buste un quart de cercle parfait. Les spectateurs envoûtés retenaient leur souffle.

Quand vint la mise à mort, les gestes s'enchaînèrent avec une rapidité inouïe. La nuque transpercée, le taureau eut un soubresaut puis il s'affaissa. La foule poussa un long cri avant de laisser éclater des applaudissements chaleureux.

Le président de la corrida, qui siégeait tout en haut des gradins, récompensa le matador en lui donnant les oreilles et la queue du taureau. L'alguazil, vêtu de noir, remit les trophées au vainqueur qui effectua son tour d'honneur accompagné par son équipe de picadors, de *banderillos*, de palefreniers et de valets.

Les spectateurs, en délire, l'acclamaient, lui envoyaient des baisers, lui lançaient des fleurs et des gourdes de cuir remplies de vin. Comme il venait de tuer le dernier taureau de la journée, Cervantes, détendu, riait et buvait de longues rasades au goulot en rejetant la tête en arrière.

Selon la coutume, les gens envoyaient leur chapeau. De temps à autre, le matador en attrapait un au vol, faisait un large salut et le relançait vers les gradins. Une spectatrice lança son escarpin à talon haut. Cervantes courut l'attraper, le porta à ses lèvres et le renvoya à sa propriétaire.

Quel homme étonnant ! pensait Isabel. Et quelle star ! Il a un charme surprenant dont il sait tirer parti pour séduire... surtout les dames.

Il était plus grand que la plupart des matadors qu'elle avait vus depuis le début de la saison, plus large d'épaules, plus athlétique. Son costume de lumière le moulait si étroitement qu'il semblait peint à même la peau. Il avait l'air d'un Gitan avec son teint basané, ses cheveux noirs, sa mine hautaine et rien ne permettait de savoir qu'il était le cousin germain du blond Esteban.

A la fin du tour d'honneur, le matador s'arrêta devant Isabel, la regarda de ses yeux verts. Elle applaudit avec force et, sans réfléchir, lui lança son chapeau de paille rose.

— Bravo ! criait Esteban. Bravo, matador !

Cervantes s'empara du chapeau, en baisa le large bord tout en gardant les yeux fixés sur la jeune femme. Puis, s'abstenant de le lui rendre, d'une démarche souple il gagna le centre de l'arène et exécuta un dernier salut, la capeline d'Isabel sur le cœur.

— Mon chapeau ! dit-elle, offusquée. Un chapeau tout neuf !

Esteban éclata de rire.

— Ne vous inquiétez pas, il vous le rendra.

— Mais je viens de l'acheter ! Il m'a fallu courir tout Madrid pour le trouver. Je sais que vous êtes cousins, mais...

— Il nous a invités à boire un verre chez lui après la corrida. Il a gardé votre chapeau pour être sûr que vous viendrez.

— S'il me l'abîme, je le tuerai, s'écria Isabel en riant malgré elle. Il est assorti à ma robe !

Les vêtements étaient rose pâle, couleur qui rehaussait la clarté de son teint et contrastait avec ses cheveux roux. Sous la veste de fin tissu de laine, elle portait un corsage en mousseline de soie dont le profond décolleté, bordé de ruchés, voilait à peine la naissance de ses seins.

— Voyons, cessez de ronchonner, lui dit Esteban en lui prenant le bras.

— Bon, acquiesça-t-elle avec bonne humeur.

Elle adorait Esteban. C'était un garçon étourdi et charmant. Il s'adonnait à des passions fantaisistes et vivait sans tenir compte des réalités de l'existence. Le directeur de la grosse entreprise de négoce en vins qui les employait tous deux lui avait proposé un poste important au siège de la société, à Madrid. Mais Esteban avait refusé : il préférait la vie dans les vignobles car porter des chaussures salies et une chemise mouillée de sueur ne l'importunait pas. En revanche les heures qu'il devait passer au bureau l'excédaient et sans doute n'accepterait-il jamais ce que ses employeurs considéraient comme une promotion : un poste de direction exigeant sa présence cravatée et compassée derrière une batterie de téléphones.

Isabel déplorait ce manque d'ambition mais comprenait l'amour qu'Esteban vouait à la terre. Elle-même était née en Californie et, son enfance durant, avait entendu son père et ses oncles discuter cépages, récoltes et vendanges. Le beau temps durerait-il ? Le vin serait-il bon ? Elle avait toujours travaillé dans les vignes, dans les chais, les caves et le petit bureau familial.

Parallèlement, ayant poursuivi des études jusqu'à l'université, elle était diplômée en gestion et en littérature espagnole. Aussi avait-elle refusé quand son père lui avait proposé de prendre un poste dans l'entreprise familiale, car une importante compagnie espagnole lui avait offert un emploi dans une succursale new-yorkaise. Là, son patron, qui appréciait son sérieux et sa compétence, n'avait pas hésité à lui faire gravir les échelons jusqu'à l'envoyer à Madrid exercer dans la maison mère.

Un an plus tard, Isabel se sentait comme chez elle dans la capitale espagnole. Certes ses amis new-yorkais lui manquaient, mais elle en avait trouvé d'autres. De surcroît, elle s'était prise de passion pour les corridas et, depuis le début de la saison, n'en avait pas manqué une seule. Elle commençait à connaître le nom des toreros, leur réputation à chacun. De tous ceux qu'elle avait vus toréer, Cervantes lui paraissait d'ailleurs le plus extraordinaire.

— Laissons à Alec le temps de prendre une douche et de se changer, dit Esteban en l'entraînant dans un petit café de la *plaza* Barrajas.

Lorsque le garçon leur eut apporté des gin tonic, Isabel ne put refréner sa curiosité.

— Parlez-moi de votre cousin.

— Que voulez-vous savoir ?

— Depuis combien de temps torée-t-il ?

— Voyons, laissez-moi réfléchir. Il a trente-trois ans, il a commencé à quatorze ; cela fait dix-neuf ans.

— Il est connu ?

— Oh ! Mon Dieu, oui !

— Mais je n'ai jamais entendu parler de lui ! J'ai pourtant assisté à de nombreuses corridas cette année.

— Il vient de rentrer d'une longue tournée en Amérique du Sud et au Mexique.

— C'est un excellent torero, n'est-ce pas ?

— Je crois qu'il n'y a pas eu de meilleur matador depuis Manolete et Arruza. Sans la malchance qui le poursuit, il serait milliardaire. Mais il est loin d'être pauvre, vous savez. S'il le voulait, il pourrait se retirer.

— De quelle malchance voulez-vous parler ?

— Il s'est fait encorner le jour de ses débuts ici, à Madrid. Gravement blessé au ventre, il a eu la force de se relever et de marcher jusqu'à la sortie de l'arène. J'étais là, paralysé par l'épouvante. J'entends encore le médecin hurler : « Allongez-le ! A l'hôpital, vite, vite ! » On racontait qu'il ne survivrait pas à l'opération mais il s'en est sorti. Sa convalescence a duré deux ans. Et un jour il a recommencé à toréer...

Esteban se tut. Isabel, d'un regard, l'incita à poursuivre.

— Depuis, il n'a jamais été aussi grièvement blessé, mais de nombreuses petites blessures qu'il a reçues l'ont marqué chaque fois davantage.

— Alors pourquoi n'abandonne-t-il pas ?

— Parce qu'il ne sait rien faire d'autre. Il est comme les joueurs de base-ball et de football dans votre pays. Que deviennent-ils lorsqu'ils atteignent la quarantaine ? Alejandro continuera jusqu'à ce qu'il ne puisse vraiment plus.

Esteban eut une expression pensive, puis il sourit :

— Allons-y, il est presque huit heures !

Isabel marqua un temps d'hésitation. Esteban insista :

— Comment ! Vous n'avez pas envie de le connaître ? La plupart des femmes feraient n'importe quoi pour être invitées chez lui.

— Pas moi, cher ami, je ne me sens pas dans la peau d'une fanatique. Si je vous accompagne, c'est uniquement pour récupérer mon chapeau.

Ils gagnèrent tranquillement l'immeuble moderne situé sur la Gran Via et, dès l'arrêt de l'ascenseur, Isabel entendit des rythmes de flamenco et des claquements de talons.

— La soirée bat son plein, dit Esteban en lui prenant la main.

Les tapis de l'immense salon étaient roulés contre les murs et un couple dansait, accompagné par deux guitaristes. Les invités, qui formaient un cercle autour des danseurs, tapaient des mains en cadence. Le rythme devenait de plus en plus passionné, de plus en plus frénétique. Les talons martelaient le plancher, les visages se tendaient. Soudain, les voix presque gémissantes prirent des accents d'une intensité douloureuse puis se turent brusquement. C'était fini.

— Fantastique, murmura Isabel.

— Pas mal, en effet, répondit Esteban. Essayons de trouver Alejandro.

Ils n'eurent pas à le chercher longtemps : assis sur un canapé blanc, un verre à la main, le toréador

11

était entouré de femmes. A la vue des nouveaux arrivants, il écarta une superbe brune qui se cramponnait à son bras et se leva. Isabel le trouva plus séduisant encore, en pantalon de gabardine grise et chemise de velours assortie, qu'en costume de corrida.

— Esteban! s'écria-t-il en lui donnant l'accolade, il y a si longtemps!

— Trop longtemps! J'ai appris que tu étais rentré mais j'ai dû aller quinze jours à Jerez pour mon travail. Je suis rentré hier soir, exprès pour la corrida.

— Ça t'a plu?

Alejandro se tourna vers Isabel, un sourire aux lèvres.

— Et vous, *señorita*, vous avez apprécié?

— Oui, *señor* Cervantes, mais j'y ai perdu quelque chose.

— Ah! le chapeau. Ne vous inquiétez pas, j'en ai pris le plus grand soin.

Il ajouta, la regardant avec attention:

— Je me demandais de quelle couleur étaient vos yeux. Je pensais qu'ils étaient verts, à cause de vos cheveux, mais je me trompais. Quelle jolie nuance cannelle!

Avec une certaine brusquerie, Isabel retira sa main.

— Que voulez-vous boire? demanda-t-il sans se formaliser. Whisky?

— Du vin, s'il vous plaît.

— Blanc ou rouge?

— Rouge, dit-elle en regardant les bouteilles rangées sur le bar. Ce château-latour, s'il vous plaît.

— Bien sûr. C'est mon cousin qui vous a fait la leçon?

— Hé! Attention, mon vieux, dit Esteban. La *señorita* Newman en sait sans doute plus sur les vins que toi et moi réunis. Elle appartient à une vieille famille de vignerons. Alvarez la leur a enlevée et raconte partout que don José Ignacio Gomez et elle ont les nez les plus subtils de toute la profession !

— Un bien joli nez, en effet, dit Cervantes. Newman, n'est-ce pas un nom américain ?

— Oui, mon père est né en Californie.

— Et votre mère ?

— C'est une Irlandaise de Boston.

— Combien de temps comptez-vous rester en Espagne ?

— Encore un an, probablement.

— Ensuite, vous rentrerez dans votre famille, en Californie ?

— Non, *señor*, à New York. J'y ai un appartement que j'ai sous-loué pendant mon absence.

— Ah ! c'est vrai, j'oubliais que les jeunes filles américaines ne restent pas chez leurs parents jusqu'au mariage. Ce n'est pas comme chez nous. Les Espagnols protègent leurs filles, vous savez ! Jamais ils ne leur permettraient d'habiter seules. Elles sont trop protégées, elles ne connaissent pas grand-chose de la vie, mais c'est ainsi que nous les aimons.

— Vraiment ? demanda Isabel.

Avec un sourire ironique, elle tourna la tête vers les trois femmes installées sur le canapé, qui attendaient visiblement que Cervantes les rejoigne et dardaient sur la nouvelle venue des regards courroucés.

— Trop protégées et ne connaissant pas grand-chose de la vie ?

Isabel observait les lèvres très maquillées et les robes près du corps, extrêmement courtes.

— Vraiment, on a peine à le croire !

Un éclair de colère brilla dans les yeux de Cervantes. Mais il se domina et dit à Esteban.

— Nous allons manquer de manzanilla. Tu ne veux pas aller en chercher quelques bouteilles à la cuisine ?

Sans attendre la réponse, il saisit la main d'Isabel dans la sienne.

— La *señorita* Newman et moi allons chercher son chapeau.

Isabel le suivit, non sans lancer un dernier regard aux trois odalisques délaissées. Alejandro sortit sur le balcon. La jeune femme poussa un cri d'admiration en voyant, quatorze étages plus bas, briller les lumières des cafés sur la Gran Via et jouer les jets d'eau lumineux de la *plaza* España.

— Vous aimez Madrid ? demanda Cervantes.

— J'adore. C'est là que je voudrais vivre.

— Epousez Esteban.

— Esteban ? répéta-t-elle avec surprise. Oh non ! Nous sommes bons amis, sans plus.

— Je vois, dit Alejandro qui lui reprit la main.

Il guida Isabel vers une grande pièce. Sa chambre, se dit-elle, ennuyée, en jetant un coup d'œil sur la décoration. Mais la curiosité l'emporta sur l'agacement car la chambre regorgeait de trophées, d'objets et de tableaux, parmi lesquels elle reconnut l'affiche célèbre de la corrida du 23 septembre 1945 qui avait réuni, dans les arènes de Barcelone, Domingo Ortega, Manuel Rodriguez, Manolete et Carlos Arruza.

— Qui est représenté sur l'affiche ? Manolete ?

— Non, Arruza. Cette année-là, il a participé à

cent douze corridas et quatre *ferias*. Il a été encorné deux fois, une fois à Burgos et la seconde fois à Manzanares. C'était un matador de génie.

— C'était ?

— Il s'est tué en voiture près de Mexico. Une mort idiote.

Alejandro voulait dire, bien sûr, que le Mexicain aurait préféré mourir dans l'arène. Mais Isabel ne releva pas la phrase et fit le tour de la pièce. Une vraie chambre de torero. Là, un taureau de bronze, plus loin, des éperons d'argent, un *zahones*, ce tablier de cuir indispensable qui enserre les cuisses du cavalier andalou et qu'Isabel avait vu aux Etats-Unis porté par les cow-boys. Un montage photographique montrait Cervantes tout jeune, à côté du général Franco, Cervantes en habit de lumière, près de Catherine Deneuve, Cervantes faisant du ski nautique avec une princesse, Cervantes avec Roman Polanski, avec Cristina Onassis...

Lorsque son hôte alluma la lampe de chevet, Isabel découvrit son chapeau : il trônait au beau milieu du lit, sur une couverture de fourrure noire.

— Pourquoi l'avez-vous gardé ?

— Un caprice... Ou, peut-être, l'envie de vous attirer dans ma chambre.

Il se moquait d'elle ; du doigt il lui fit signe.

— Venez voir un peu.

— Non ! Si vous croyez que je vais...

— *Señorita !* Attendez que je vous explique avant de répondre oui ou non. Je veux seulement vous rendre votre chapeau et vous montrer cette toile.

Il lui désignait un tableau suspendu à la tête du lit. Isabel rougit.

— D'ici, vous verrez mieux. Je suis sûr qu'il va vous intéresser.

La jeune femme essaya de dissimuler son humiliation en s'absorbant dans la contemplation de la toile qui représentait un beau visage espagnol, au teint pâle et aux yeux noirs. La femme était assise dans une pièce sombre, un rayon de soleil couchant filtrait par une petite fenêtre et éclairait son ouvrage et ses mains. Elle cousait la veste d'un habit de combat et ses yeux noirs reflétaient toute la tristesse du monde. Elle portait sur la tête le petit triangle de dentelle traditionnel, un châle noir était jeté sur ses épaules. A côté de la fenêtre, posé sur une petite table, un cierge diffusait une lumière vacillante sur une icône de la Vierge.

— La toile s'intitule *Esposa del Matador*, l'épouse du matador. Qu'en pensez-vous ?

— Magnifique, répondit Isabel qui, un genou sur le lit, se penchait pour mieux voir. Qui est le peintre ?

— Cossio del Pomar, un artiste péruvien qui a longtemps vécu en Espagne. Sa sœur était l'épouse de Juan Belmonte le célèbre matador, et il a reproduit son attitude pendant que Belmonte était dans l'arène. Réfléchissez. N'est-ce pas troublant de voir cette femme solitaire assise dans la pénombre et cousant un habit de lumière pour son mari qui, pendant ce temps, torée en plein soleil, acclamé par des milliers d'admirateurs ?

— Elle coud et elle prie, dit Isabel.

Cervantes saisit le chapeau et le lui tendit.

— Vous avez un bien joli prénom, dit-il doucement.

— C'était l'avis de mes parents !

— C'est un nom espagnol. Pour moi, il évoque le printemps, les giboulées, les fleurs sauvages... L'été proche. Je ne sais pas pourquoi.

16

Il avança la main et toucha ses cheveux flamboyants.

— La splendeur de l'été, murmura-t-il.

Avant qu'elle ait pu dire un mot, il la prit dans ses bras.

Chapitre 2

D'autoritaire, son baiser devint vite d'une douceur exquise. Isabel oublia son mouvement de colère pour goûter la saveur de ces lèvres qui éveillaient en elle un désir imprévu. De son plein gré, elle lui rendit son baiser jusqu'au moment où son compagnon devint plus exigeant. Alors, de ses deux paumes plaquées contre sa poitrine d'homme puissant, elle le repoussa fermement. Cervantes la lâcha et lui dit, un petit sourire aux lèvres :

— Ce qu'on m'avait raconté des dames aux cheveux roux est donc vrai ! Elles sont exaltées...

Offensée, Isabel se cabra.

— Oh ! Vous, Latins, dit-elle avec irritation, vous supposez tous qu'il suffit de prendre une femme dans vos bras pour qu'elle défaille !

Elle se sentait d'autant plus furieuse qu'elle avait répondu à son baiser. Elle lui lança un regard furibond.

— Vous n'êtes qu'un sauvage, dit-elle. Pire qu'un homme des cavernes. Vous...

Il la saisit violemment et planta ses yeux dans les siens.

— Un sauvage, un homme des cavernes, et puis quoi encore ? Je vais vous montrer ce qu'est la véritable sauvagerie !

Sans lui donner le temps de réagir, il l'enlaça,

19

l'étreignit à lui couper le souffle. Ses lèvres, impérieusement, prirent possession de sa bouche. Jamais un homme ne l'avait embrassée avec tant de passion. Son cœur battait la chamade, elle avait l'impression que, s'il insistait, elle allait s'évanouir. Mais il relâcha son étreinte, la regarda. Dans ses yeux, brillait une espèce de joie sauvage. Très doucement, il porta les fins poignets à ses lèvres et glissa le long du bras, jusqu'à son cou, embrassa sa tempe, ses cheveux, jusqu'à ce que le cœur de la jeune femme se calme et que son corps se détende contre le sien. Ses baisers la brûlaient comme des traînées de feu. Il souffla légèrement sur le ruché de mousseline qui bordait l'encolure de son corsage.

— Je vous en prie, murmura Isabel d'une voix tremblante, lâchez-moi !

Aussitôt, Cervantes obéit.

— Je suis désolé, dit-il, comme surpris par son propre comportement. Ce n'est pas mon habitude. Je... jamais je ne me conduis ainsi.

Quand la jeune femme leva les bras pour arranger sa coiffure, il lui écarta les mains et lissa lui-même les cheveux roux.

— Une flamme, murmura-t-il, une flamme vivante...

Il posa la paume sur sa joue.

— Voulez-vous dîner avec moi demain soir ?

Elle fit non de la tête.

— Je vous en prie...

Isabel feignit de se laisser convaincre par son air suppliant. Elle avait bien l'intention de décommander leur rendez-vous.

Sûr de lui plaire, Cervantes l'emmena chez *Botin*, le célèbre restaurant proche de la *plaza* Mayor. En suivant le maître d'hôtel dans l'étroit escalier en colimaçon qui conduisait à la cave aménagée, Isabel se sentait transportée dans un autre monde : même les serveurs semblaient sortir d'un roman !

Lorsqu'elle ouvrit la carte, Cervantes lui dit :

— Chez *Botin*, vous êtes censée commander le cochon de lait rôti.

— Je sais, c'est écrit dans Hemingway. Si je prenais un steak, ce serait mal vu ?

— Affreusement.

Cervantes fit signe au garçon.

— Jambon montagnard pour commencer, puis la soupe froide. Après, des asperges, une salade verte. Un steak pour mademoiselle — à point, Isabel ? — pour moi, une truite. Apportez-nous un pichet de sangria tout de suite.

Il ne lui avait pas demandé son avis, mais Isabel ne s'en offusqua pas. Parfaitement détendue et contente, elle s'adossa aux coussins posés contre le mur de pierres apparentes et se laissa charmer par l'ambiance, l'odeur des plats raffinés et l'efficacité du personnel.

Comment expliquer son revirement ? Pour quelles raisons avait-elle accepté son invitation ? La gerbe de roses, le petit mot qu'il avait joint aux fleurs ?

« Je suis désolé de m'être conduit comme un barbare. Peut-être vos cheveux roux m'ont-ils fait perdre la raison ? Je vous en supplie, permettez-moi de me faire pardonner en acceptant de dîner avec moi. »

Une heure plus tard, Isabel revenait sur sa décision et téléphonait pour confirmer leur rendez-vous.

Pepita, sa secrétaire, la regardait, les yeux dilatés de surprise.

— Vous connaissez Alejandro Cervantes ?

— Nous avons fait connaissance hier soir.

— Comment est-il ?

— Arrogant.

— Arrogant ? C'est tout ce que vous trouvez à dire sur l'homme le plus séduisant, le plus beau, le plus charmant d'Espagne ?

Isabel éclata de rire. Entre Pepita et elle existait une amitié sincère. Elles déjeunaient souvent ensemble, allaient au cinéma et, à l'occasion, Isabel appréciait que Pepita l'accompagne lors de ses voyages professionnels. Quelques semaines auparavant, la secrétaire lui avait demandé si elle voudrait bien la garder quand elle rentrerait à New York. Isabel avait acquiescé, sous réserve de l'accord du président de la société, Alvarez.

Elle nuança les louanges de sa collaboratrice :

— C'est vrai, dit-elle enfin, j'avoue qu'il est plutôt joli garçon.

— Joli garçon ! *Dios mío !* L'homme le plus couru d'Espagne ! D'Europe même ! Les femmes vendraient leur âme au diable pour le rencontrer !

Elle fronça son joli nez avant d'ajouter :

— Mais j'oubliais Esteban... je veux dire *señor* Davalos. C'est votre fiancé. Si vous êtes amoureuse de lui...

— Je ne suis pas amoureuse d'Esteban et il n'est pas mon fiancé ! Pepita, j'aime beaucoup Esteban, nous sommes très bons amis, c'est tout. Vous dînez avec lui de temps à autre, non ?

Pepita baissa les yeux et fourragea dans ses papiers.

— Oui, de temps à autre, répéta-t-elle.

Puis elle reprit :

— Qu'allez-vous mettre comme robe ? Celle que

vous portiez la semaine dernière à la soirée des Domecq ?

— Trop habillée, répliqua Isabel. Oh ! Peu importe, je trouverai bien quelque chose.

Cette apparente désinvolture ne l'empêcha pas de quitter le bureau plus tôt que d'habitude pour aller chez le coiffeur. Elle fit nouer ses cheveux en un chignon haut placé d'où s'échappaient avec naturel d'adorables petits frisons. Elle choisit dans son armoire une robe de soie verte qu'elle n'avait portée qu'une fois, une toilette ravissante, au corsage ajusté et à la jupe en corolle, qui lui faisait une taille de guêpe. Elle mit un collier et des boucles d'oreilles d'ambre dont les reflets s'harmonisaient avec ses cheveux et ses yeux.

A neuf heures, Alejandro passa la prendre. Il la contempla longuement ; de sa main, il effleura une boucle sur sa joue et dit à mi-voix :

— Tout à fait comme dans mon souvenir.

Pendant le repas, ils parlèrent peu. Isabel était intimidée ; elle avait envie d'entendre son compagnon lui raconter le monde fascinant de la tauromachie qu'elle ne connaissait que de l'extérieur.

— Pourquoi faites-vous ce métier, Alejandro ? demanda-t-elle en le regardant servir de la sangria.

— Pourquoi respirez-vous, Isabel ?

— Pour vivre.

— C'est pour cela que je combats.

— Je ne comprends pas.

— Pas étonnant ! Les femmes ne comprennent jamais.

La voix était douce, lointaine. Il se tut un instant, puis ajouta :

— J'ai été marié, il y a longtemps. J'avais vingt-trois ans. Notre couple n'a pas duré douze mois.

— Comme c'est triste !

— Oui, j'ai été triste, dit-il avec gravité. Elle détestait ma profession. Oh ! Pas au début, bien sûr, elle savait qui j'étais, c'est d'ailleurs pourquoi elle m'avait épousé ! Au début, elle aimait bien la vie que nous menions : les voyages, les corridas, la célébrité...

— Qu'est-il arrivé ?

— Elle est tombée amoureuse de moi.

— Pardon ? dit Isabel interloquée.

— Elle est tombée amoureuse de moi. Et avec l'amour est venue la peur... et plus tard la colère. Si j'avais été un peu plus âgé, j'aurais sans doute compris mais, à l'époque, je ne pensais qu'à moi. J'aimais Maria mais j'aimais aussi la vie et la vie, pour moi, c'était la corrida.

— Qu'est-elle devenue ?

— Elle a épousé un metteur en scène italien que nous avions rencontré à Cannes. Nous continuons à nous voir de loin en loin, je crois qu'elle est heureuse. En tout cas, je l'espère.

Les yeux fixés sur le visage d'Isabel, il reprit d'une voix songeuse :

— Je l'ai sans doute mal aimée... mais peut-être ne suis-je pas capable de donner à une femme tout l'amour dont elle rêve ? Mon métier compte plus que tout.

— C'est une vocation ! dit Isabel. Cela exige le don de soi. Mais l'amour, les autres, il ne faut pas les mépriser.

— Pourquoi les femmes prennent-elles toujours un air sérieux quand elles prononcent le mot « amour » ? Pourquoi ne pas tout simplement profiter des bons moments de la vie ?

— Et aller de bon moment en bon moment sans doute ?

24

— Ce n'est pas ce que je voulais dire. Un homme et une femme peuvent partager mille choses, être amis, s'intéresser profondément l'un à l'autre.

— Tant qu'ils ne s'engagent pas sérieusement ?

— Voilà. Il faut que tout soit bien clair entre eux dès le début.

Isabel lisait dans son regard une sorte de défi mêlé à quelque chose d'autre. Pourquoi se confiait-il ainsi ? Pourquoi prenait-il cet air de charmeur de serpent ?

Cervantes déplia la note posée sur une soucoupe mais le garçon s'approcha aussitôt et, au lieu de prendre les billets de banque, posa sur la table une bouteille de cognac et deux petits verres.

— Notre meilleur cognac, matador ! dit-il en souriant. Avec les compliments de la maison !

— Merci beaucoup !

Ils savourèrent l'alcool en silence avant de se mêler à la foule.

La nuit était douce et tiède, les rues pleines d'animation.

— Vous n'êtes pas de Madrid ? demanda Isabel.

— Non. De Barcelone.

— J'adore cette province, dit-elle. A la fin de la semaine, je dois aller à Saragosse. Nous avons des vignobles là-bas.

Le visage d'Alejandro s'éclaira.

— Pourquoi ne viendriez-vous pas à Pampelune pour la *feria* de San Fermin ? C'est à moins de cent cinquante kilomètres. Vous connaissez ?

— Non.

— Vous devriez. Ce mois-ci, la *feria* dure du 6 au 12. Je toree dans quatre corridas. Je serais heureux que vous veniez.

— Non, je ne peux pas.

— Je regrette, répliqua-t-il en la guidant vers une table libre à la terrasse d'un café.

Il commanda deux *capuccinos* puis se tourna vers elle.

— Pourquoi avez-vous dîné avec moi ?

— Par faiblesse : je suis incapable de résister à deux douzaines de roses.

Quelle réponse idiote, pensa-t-elle. Mais que lui dire d'autre ? Elle avait accepté sans bien savoir pourquoi. Etait-elle attirée par lui malgré l'arrogance dont il avait fait preuve ? Et, chez elle, qu'est-ce qui l'attirait en lui, son air altier, sa vigueur, la précision de ses gestes, sa grâce, peut-être ? Il était différent des autres, plus séduisant, plus beau, plus sauvage malgré l'élégance de sa tenue. Isabel avait très bien compris qu'il ne voulait que des aventures éphémères. Elle était prévenue !

Non, elle n'avait pas envie d'avoir une aventure avec Alejandro Cervantes.

Ils firent une longue promenade, puis il appela un taxi et reconduisit Isabel à son appartement. Assis à côté d'elle dans la voiture, il lui tenait la main sans rien dire. Au moment de la quitter, il dit :

— Si vous changez d'avis, je serai à l'hôtel *Los Tres Reyes*.

— Je ne changerai pas d'avis.

— Vous êtes si belle, ajouta-t-il. Indiciblement belle et troublante.

Il eut un sourire.

— Si j'avais une once de bon sens, je me sauverais à toutes jambes. Vous me faites l'effet d'une déesse et je pourrais me noyer dans vos yeux. Mais je ne veux pas.

Son visage frémit un instant. Il se pencha sur

Isabel et posa sur ses lèvres un baiser tendre et passionné. C'était, se dit la jeune femme, le second avertissement de la soirée : trop tard pour fuir ! Ils étaient déjà pris au piège.

Chapitre 3

Saragosse, l'ancienne capitale du royaume d'Aragon, est à plus de trois cents kilomètres de Madrid. Isabel, qui avait souvent fait le voyage, connaissait bien la route. Elle aimait les champs de blé dorés par le soleil et les prairies encore en fleurs.

En arrivant, elle traversa la ville pour gagner le petit hôtel tranquille qu'elle aimait, situé sur les rives de l'Ebre, où elle passa la nuit.

Le lendemain elle visita les vignobles en terrasse qui appartenaient à sa famille et éprouva de la nostalgie en pensant à Napa Valley et à ses parents. Fuentes, le directeur de la coopérative vinicole, l'accueillit avec amabilité et l'emmena aussitôt dans les chais.

— Magnifique, s'exclama Isabel en pénétrant dans la longue pièce où se dressaient d'énormes tonneaux. Ça me rappelle la maison...

— Alors, si nous le goûtions ? demanda Fuentes avec un sourire de connivence.

Isabel regarda le vieil homme, aux joues veinées de rouge et aux yeux clairs, prélever dans un tonneau une pleine pipette de sherry qu'il vida dans un verre avant de le lui tendre. Elle le respira, leva son verre pour en apprécier la couleur et la transparence. Puis elle en prit une gorgée sur sa langue et la roula longuement avant de l'avaler. Une merveille.

Il y a quelque chose dans le sol de ces collines qui donne au vin son incomparable saveur, se disait-elle. Ce cru était véritablement de qualité supérieure : couleur d'or pâle, clair, sec, avec une délicate odeur d'amande.

— Il est parfait, dit-elle.

Fuentes poussa un soupir de soulagement.

— Ah ! bon. Alors goûtons le jerez !

Isabel les dégusta tous, prit des notes et mis au point quelques détails concernant la prochaine fête de la moisson. Ils déjeunèrent ensuite d'un sublime bœuf braisé servi avec une sauce épicée, des haricots rouges et du riz. Après le dessert — un onctueux gâteau au chocolat — elle fit un tour dans les vignobles, déclara forfait au bout d'une heure et revint à son hôtel faire la sieste. Le lendemain, elle termina la visite des vignobles, donna ses dernières instructions ; à trois heures de l'après-midi, elle était libre. Comme il était trop tard pour retourner à Madrid, il lui restait deux possibilités : rentrer à l'hôtel, ou...

Son cœur sauta dans sa poitrine... Aller à Pampelune pour assister à la course dans les rues, à la corrida... et bien entendu, voir Cervantes.

Elle savait qu'à Pampelune elle aurait du mal à trouver une chambre, mais pour une nuit elle ne se montrerait pas trop exigeante. Elle téléphonerait à Cervantes le lendemain et rentrerait à Saragosse après la corrida. La corrida ! D'avance, elle se réjouissait.

Il faisait nuit quand elle parvint à Pampelune où la *feria* battait son plein depuis trois jours. Les rues étaient noires de monde. Isabel chercha à se garer et tourna interminablement dans les ruelles encombrées et bruyantes du centre-ville jusqu'à ce qu'une place se libère devant elle. Elle s'y glissa non sans se disputer avec le conducteur d'une voiture qui voulait la lui prendre et c'est avec défi qu'elle verrouilla ses portières. Elle laissa ses valises dans le coffre, prévoyant de les prendre plus tard, quand elle aurait trouvé une chambre. Mais elle n'en trouva pas : ni à l'hôtel ni dans les pensions de famille.

— Comment, vous n'avez pas retenu ? lui répondait-on avec un regard surpris. Mais, *señorita*, tout est complet depuis septembre dernier ! Chez les particuliers ? Oh non ! Tout est pris !

Que faire ? Dormir dans sa voiture ? Ce contretemps bouleversait ses plans. Sois honnête, se disait-elle, qu'avais-tu l'intention de faire ? Tout simplement, une fois bien installée dans une chambre d'hôtel, téléphoner à Alejandro et lui dire d'une voix détachée :

— Bonjour ! Isabel Newman à l'appareil. Je me suis dit que c'était bête d'être venue si près de Pampelune pour rater la *feria*.

Il l'aurait alors invitée à dîner...

Mais maintenant, si elle téléphonait, il la prendrait pour une folle ou penserait qu'elle désirait passer la nuit avec lui.

Fatiguée, affamée, Isabel alla manger dans un restaurant de la *plaza* de Castillo où, malgré son anxiété, elle apprécia la truite grillée et la salade verte. Quand elle sortit de l'établissement, elle trouva les ruelles encombrées d'ivrognes qui s'amusaient à lui barrer le passage, comme par maladresse. Elle n'oserait jamais passer la nuit dans sa voiture avec tous ces vagabonds pris de boisson. Quelle situation absurde !

A minuit, elle se décidait à frapper à la porte

d'Alejandro au *Los Tres Reyes*. Et s'il passait la nuit avec une femme? se demanda-t-elle, un peu tard, en voyant le panneau s'ouvrir. L'air ensommeillé, ahuri, Alejandro, vêtu d'un peignoir blanc en tissu éponge, la regardait en fourrageant dans ses cheveux.

— Excusez-moi, dit Isabel tout embarrassée. Il est tard, je ne voudrais pas vous déranger...

— Vous ne me dérangez pas. Vous venez d'arriver?

— Non. Je suis en ville depuis quelques heures.

— Qu'avez-vous fait? Où étiez-vous? Et, d'abord, quelle heure est-il?

Il la prit par la main, l'attira dans la pièce qui n'était pas une chambre, mais un salon. Il jeta un coup d'œil à la pendule.

— Oh! Mon Dieu, il est plus de minuit. Comment avez-vous passé la soirée?

— J'ai cherché une chambre, avoua Isabel qui se sentit tout à coup accablée de fatigue.

— Vous n'aviez rien réservé?

— Je sais, je sais, dit Isabel en secouant la tête, on me l'a déjà dit cent fois. Mais je n'avais pas l'intention de venir.

Elle se mordit la lèvre, leva les yeux sur lui :

— Et je ne sais pas pourquoi je suis là.

— Pour voir la *feria* et la corrida, répliqua-t-il avec un sourire malicieux.

— Oui, sans doute.

— Vous avez dîné?

— Oui.

— Vous avez l'air épuisée. Où sont vos bagages?

— Dans ma voiture.

— Nous irons les chercher demain. Je vais vous prêter un pyjama.

— Je ne peux pas rester ici!

— Mais si. Vous prendrez ma chambre et je dormirai sur le canapé.

— C'est impossible.

— Bien, dit alors Alejandro, conciliant. Si vous insistez, nous pouvons partager la même pièce.

— Je ne voulais pas dire...

— Non ? dommage. Venez...

Il l'entraîna dans la chambre et lui tendit un pyjama marron.

— Il y a des serviettes propres dans la salle de bains. Je vous réveillerai à six heures et demie.

— Six heures et demie !

— Vous êtes venue voir la *feria*, non ?

Il l'enlaça, l'obligea à le regarder en face et répéta :

— Non ?

D'un baiser sur les lèvres, il l'empêcha de répondre. Lorsqu'il desserra son étreinte, il dit dans un souffle :

— Bonne nuit. A demain.

Dans son demi-sommeil, Isabel imaginait une pluie d'étincelles. Elle serra les paupières, ouvrit les yeux et vit briller devant elle l'habit de combat d'Alejandro, suspendu à un cintre. La veste était ivoire, brodée de noir avec des épaulettes incrustées d'or et d'argent. A côté, le *chaleco*, le gilet traditionnel, et la culotte ajustée, la *taleguilla*, étaient préparés. Isabel contempla le costume en se demandant si Alejandro toréait ce jour-là. Elle se sentait un peu honteuse. Comment pouvait-elle manquer à ce point de suite dans les idées : après la décision de ne pas avoir d'aventure avec Cervantes, elle avait fondu dans ses bras au premier regard.

Elle s'adressait mille et un reproches quand Alejandro frappa et entra. Vêtu d'un peignoir, il vint déposer le plateau du petit déjeuner sur les genoux d'Isabel et s'assit au bord du lit.

— Bien dormi ?

— Très bien, merci. Personne ne m'a jamais apporté le petit déjeuner au lit, dit-elle en regardant avec des yeux d'enfant les deux tasses, le grand pot de café noir fumant, les petits pains, le fromage, la confiture de fraises.

— Ah ? vous me surprenez ! Je croyais que les Américaines...

— Oh ! Je vous en prie, je sais ce que vous pensez des Américaines... Eh bien, c'est faux. Nous ne sommes pas aussi émancipées que vous voulez bien l'imaginer.

— Mais vous avez déjà dormi avec...

La phrase resta en suspens.

— Oui, j'ai déjà... comme vous dites ! répliqua Isabel avec irritation. J'ai vingt-huit ans et je ne suis pas une religieuse. Mais je n'ai rien d'une dévergondée. Il y a eu un homme dans ma vie, un seul. Nous avons vécu six mois ensemble.

— Que s'est-il passé ? Vous avez profité de votre voyage en Espagne pour le laisser tomber ?

— Non, c'est lui qui m'a abandonnée.

— Pourquoi ?

Un torrent de souvenirs afflua à sa mémoire. Elle le revit ce dernier soir, en train de plier ses vêtements et de faire ses bagages avec un soin, un calme qui la rendaient folle. De la porte, elle le regardait, elle l'entendait lui faire la leçon.

— Ecoute, Isabel, nous ne nous étions rien promis. Ce fut merveilleux, mais maintenant tout est fini ! Alors pas de scène, je t'en prie !

— Il y a quelqu'un d'autre ?

— Evidemment, il y a quelqu'un d'autre. Passe-moi mon manteau, veux-tu ?

Isabel le lui avait lancé à la figure, en même temps que le reste de ses vêtements. Et comme il fuyait en toute hâte, elle l'avait abreuvé d'insultes.

Alejandro la regardait avec attention. Elle répéta avec calme, sans comprendre pourquoi elle insistait ainsi :

— Un seul homme. Personne d'autre, ni avant ni après.

— Vous l'aimez toujours ?

— Oh ! Mon Dieu, non !

— Alors, buvez votre café.

Isabel était soulagée de lui avoir parlé de Ross, d'avoir été comprise. Le sujet était clos.

— La *feria* commence à huit heures. Pour voir la course, les gens se postent dans les rues, sur le trajet des taureaux, bien avant l'aube.

— Nous attendrons dans la rue ?

— Non. Nous y assisterons d'un balcon, chez mon impresario. Finissez les petits pains, Isabel. Vous ne mangerez de nouveau que ce soir.

— Pas de déjeuner ?

— Non. Les matadors ne mangent jamais avant une corrida et je torée cet après-midi.

Le cœur d'Isabel se serra douloureusement.

— Pourquoi ?

— Parce qu'en cas d'accident, l'opération est plus facile pour les chirurgiens.

— Je vois, murmura la jeune femme.

L'atmosphère lui sembla brusquement étouffante et elle refusa un petit pain qu'Alejandro lui tendait.

— Je n'ai pas très faim, dit-elle. C'est sans doute parce que j'ai dîné tard hier soir.

— Très bien. Je vous ferai monter un sandwich plus tard. Bon, je vous laisse la salle de bains.

Isabel sortit du lit. Les jambes du pyjama tire-

35

bouchonnaient sur ses chevilles et les manches lui faisaient des bras immenses.

— Vous avez l'air d'une réfugiée, dit Alejandro en souriant.

La jeune femme lui rendit son sourire, retroussa ses manches et rejeta les mèches rousses qui tombaient sur ses joues. Cervantes s'approcha d'elle.

— Vous avez un peu de confiture là, dit-il en lui posant un baiser sur le coin de la bouche.

Sans crier gare, il l'embrassa passionnément. Elle sentait la chaleur de son corps... des mains qui s'étaient glissées sous sa veste pour lui caresser la taille.

Quand il posa les paumes sur ses seins, le feu brûlait dans ses yeux verts. Sous l'empire des caresses, le désir de la jeune femme s'éveillait. Non, non, il ne faut pas. Ce Gitan diabolique m'hypnotise, m'ensorcelle. Si seulement il enlevait sa main... si seulement...

Elle réussit à lui échapper.

— Non, non, balbutia-t-elle.

— Pourquoi? Vous savez bien que nous le désirons.

— Alejandro, je vous en prie...

— Non! Dites-moi pourquoi!

— Nous sommes trop différents. Nos vies n'ont rien à voir. Il y a tant de femmes autour de vous, je les ai vues chez vous l'autre soir. Et moi, je ne veux pas faire partie de votre cour.

— Vous croyez que je vous considère comme une pièce à ajouter à ma collection?

— Oui.

Elle posa les mains sur ses épaules et reprit:

— Vous ne me connaissez même pas. Je ne suis pour vous qu'une femme rousse de plus... une...

— Une femme rousse de plus? Ici, en Espagne?

36

Il eut un sourire de gaieté, puis soupira :

— Très bien, je ne vous ennuierai plus, du moins pour le moment. D'ailleurs, avec ce pyjama, vous avez l'air d'un gamin sous-alimenté.

— Un gamin sous-alimenté ! Espèce de...

Il lui ferma la bouche d'un baiser, l'enlaça étroitement, puis effleura son corps de caresses tendres qui embrasaient les sens de la jeune femme. Ils restèrent ainsi de longues minutes, jouissant de cette étreinte passionnée jusqu'au moment où Isabel, submergée par le plaisir, sentit se dérober ses genoux sous elle.

En traînée de feu, le désir courut dans ses veines et, rapide comme la foudre, alluma cent foyers brûlants dans les recoins les plus secrets de son corps.

Alors Cervantes s'écarta brusquement, lui donna une tape familière sur la joue et lui lança :

— Allez prendre votre douche, à présent !

Chapitre 4

On avait installé des barrières dans les rues pour contenir et protéger les spectateurs. Isabel traversait la foule, guidée par Alejandro qui était vêtu d'un jean et d'une chemise à rayures bleues et blanches. Jamais elle n'avait vu tant de monde dans la rue, de si bonne heure. Des gamins grimpaient aux lampadaires, s'accrochaient aux corniches, se perchaient dans les recoins des façades. Les balcons débordaient de gens, les touristes se bousculaient. Certains avaient le visage frais et reposé, d'autres le teint plombé, les yeux cernés par une nuit blanche. Des étudiants débarquaient par cars entiers, arrivant d'Allemagne, de France, d'Angleterre et même d'Amérique. Ils n'avaient dormi que quelques heures dans leurs véhicules ou sur les bancs publics et avaient une mine hagarde et chiffonnée.

Une bonne odeur de pain chaud sortait des boulangeries. Au loin retentissaient des roulements de tambour et des éclats de trompettes. Tout à coup le cortège formé par les hommes qui devaient courir devant les taureaux déboucha d'une rue. Tous étaient vêtus de costumes blancs ceints d'un foulard rouge.

— Quel monde ! dit Isabel.

— Deux cent mille touristes se retrouvent à Pampelune.

— Deux cent mille ! Et comment organise-t-on la course de taureaux ?

— On leur fait traverser le fleuve à minuit, ils sont ensuite parqués dans un corral provisoire au bout de la rue Santo Domingo. Une fois lâchés, ils dévalent jusqu'à l'hôtel de ville puis empruntent le parcours qui les conduit aux arènes. Le trajet mesure neuf cents mètres et la course dure deux minutes et demie.

— Si peu ?

— Un taureau court vite, vous savez. Plus vite qu'un cheval de course sur une courte distance.

Alejandro entra dans un petit hôtel, grimpa l'escalier jusqu'au second et frappa à une porte :

— C'est Alec...

— Où étais-tu passé ? lui lança un homme très distingué, d'une soixantaine d'années, en entrebâillant la porte. Il est presque huit heures et... Ah ! pardon, tu n'es pas seul.

— Isabel, je vous présente mon imprésario, Carlos Manzanares. Carlos, la *señorita* Isabel Newman.

— Vous êtes américaine ?

— Oui, en effet.

— Vous avez un bon accent.

Il les invita à entrer.

— Le premier signal va être lancé. C'est la première fois que vous venez à Pampelune, *señorita* ?

— Oui. Jamais je n'aurais cru y voir tant de monde.

— Trop. Impossible de trouver une chambre. Vous avez trouvé à vous loger ?

— J'avais retenu une chambre pour Isabel au

40

Los Tres Reyes, répondit Alejandro à sa place. Elle est arrivée tard cette nuit.

Manzanares fronça les sourcils.

— J'espère que tu t'es bien reposé, Alec.

On entendit un bruit de pétard au loin. Alejandro prit le bras d'Isabel et l'entraîna sur le balcon.

— C'est le premier signal. Les taureaux commencent à sortir. Quand ils seront tous dehors, il y aura un second signal.

Dans la rue, la foule s'agitait. Les hommes qui devaient courir guettaient l'arrivée des bêtes. Une seconde fusée partit en sifflant et explosa. Presque aussitôt, les taureaux déboulèrent, frappant le pavé du tonnerre de leurs sabots.

En bas, les silhouettes sanglées de rouge s'élancèrent en criant, les taureaux sur les talons. Ils couraient vite et avec légèreté, mais les bêtes étaient trop rapides pour qu'ils puissent conserver longtemps leur avance, surtout dans une pareille cohue. Les taureaux gagnaient sur les coureurs, les rattrapaient. Les hommes les plus agiles bondissaient par-dessus les barrières, s'aplatissaient contre les murs, essayaient de grimper et de se mettre hors de portée des sabots et des cornes. Soudain, ce fut la bousculade, le chaos ; des hommes à terre hurlaient sous les pas des bêtes lancées à fond de train qui les piétinaient. Isabel se mit à crier.

— Ils vont les tuer !

— Mais non, dit Alejandro, rassurant. Un troupeau lancé ne s'arrête jamais pour attaquer et tout le monde va s'en tirer avec quelques bleus et quelques écorchures. Le risque, c'est quand une bête s'écarte des autres. Tenez, regardez ! Ça y est !

En effet, sous leurs yeux, un taureau poussait un des hommes et le plaquait contre une façade. Le malheureux, épouvanté, essayait en criant d'échapper aux cornes acérées. Un peu plus loin, un jeune homme de dix-huit ou dix-neuf ans, campé devant un animal, agitait un journal en guise de cape.

— Oh! Mon Dieu, murmura Alejandro.

Dans la seconde qui suivit, le taureau encornait l'imprudent et le projetait sur le sol. Aussitôt, des spectateurs se glissèrent sous les barrières et traînèrent le garçon hors de portée.

Puis, tout fut fini. La horde était passée. Le martèlement des sabots s'éloignait vers l'arène où d'autres spectateurs attendaient. Les gens se dispersaient. On entendait au loin la sirène d'une ambulance. Manzanares dit à ses invités :

— Prenons un café. Vous êtes toute pâle, *señorita*, vous ne supportez pas ce genre de spectacle ?

Une question qui voulait dire : « Evidemment, que peut-on attendre d'autre d'une Américaine ? »

— Ce n'est pas ça, dit-elle, je trouve un peu excessives les façons qu'ont certains hommes de prouver leur virilité.

— Et pan! dit Alejandro en riant.

Mais Manzanares ne rit pas. Une fois le café servi, la conversation reprit, sans grande vivacité et Isabel ne s'en mêla pas. Manzanares s'adressait à Alejandro avec autorité, en aîné plein d'expérience, et Alejandro l'écoutait.

— Carlos est mon imprésario depuis dix-neuf ans, précisa-t-il à l'intention de la jeune femme.

Après les quatre corridas de Pampelune, ils étaient attendus à Valladolid.

— Le 20, tu dois être à Barcelone, le 27 à Valence. Dis-moi, pour le *sorteo* d'aujourd'hui, que fais-tu ? Tu y vas ou je m'en occupe ?

— J'irai avec vous, Carlos, dit Alejandro.

Puis il se tourna vers Isabel et expliqua :

— C'est le tirage au sort pour la corrida de l'après-midi. Nous sommes trois matadors, il y a six taureaux prévus. On les met par deux : un bon avec un moins bon, pour faire trois paires... Par exemple, un taureau à grandes cornes avec une bête à petites cornes, vous comprenez ? On inscrit les numéros des paires sur des papiers qu'on met dans un chapeau. Chaque matador — ou son imprésario — tire un papier.

Isabel et Alejandro ne s'attardèrent pas chez Carlos. Isabel avait oublié où elle avait garé sa voiture et ils la cherchèrent longuement. Alejandro eut tout juste le temps de raccompagner la jeune femme à l'hôtel avant de se rendre au *sorteo*. Restée seule, Isabel sortit de sa valise l'ensemble qu'elle devait porter l'après-midi pour le défroisser. Puis elle s'assit sur le canapé, parcourut le journal, mais s'endormit, en pensant à Carlos Manzanares et à sa visible antipathie envers elle. Une heure plus tard, elle se réveillait, les idées vagues, complètement désorientée et se demandant ce qu'elle faisait là. Qu'est-ce qui m'arrive ? se disait-elle. En réalité, elle le savait très bien, elle savait aussi que si elle avait eu un grain de bon sens, elle serait déjà sur la route de Madrid. Sa première aventure ne lui avait donc pas servi de leçon ?

Ce n'était pas une question de principes car elle ne portait aucun jugement sur les femmes qui vont d'un amant à l'autre et croient chaque fois avoir trouvé l'homme de leur vie. Un an avec l'un, six mois avec l'autre, deux ans, deux semaines... Ce n'était pas son genre, voilà tout. Et puis, avec Alejandro, elle savait bien qu'il n'était pas question d'amour, il ne fallait pas perdre de vue la réalité.

Elle oublia ces considérations, prit une douche, passa un ensemble de daim bleu marine et un corsage de soie à volants. Elle attachait ses boucles d'oreilles quand Alejandro entra. Il lui sourit.

— Vous avez l'air d'une Gitane.

— Et vous d'un Gitan.

— Moi, j'ai mes raisons : ma grand-mère est gitane.

— Vraiment ?

— Elle avait seize ans quand mon grand-père l'a rencontrée à Séville. Il l'a enlevée !

— Enlevée ! Quel beau roman !

— C'était la seule façon de l'arracher à sa famille. Les frères de ma grand-mère sont partis à sa recherche. Ils voulaient tuer le ravisseur. Les fugitifs se sont mariés à Grenade et six mois plus tard ils étaient à Barcelone dans la famille de mon grand-père. Evidemment, tous étaient furieux parce qu'il avait épousé une Gitane. Mais, comme elle était enceinte, il n'y avait qu'à s'incliner. Ils vécurent heureux et eurent beaucoup d'enfants, ajouta Alejandro. Mon grand-père est mort maintenant, mais ma grand-mère vit toujours. J'aimerais beaucoup que vous fassiez sa connaissance. Vous l'aimerez.

— Elle habite Barcelone ?

— Oui, mais elle passe beaucoup de temps chez moi, dans ma propriété.

Il changea de sujet :

— Vous avez trouvé de la place pour suspendre vos vêtements ?

— Je n'ai pas défait ma valise.

Alejandro leva un sourcil interrogateur.

— Je repars pour Saragosse tout de suite après la corrida.

— Vous ne restez pas jusqu'à demain ?

— Non.

— Isabel, je...

Il fit un pas vers elle, mais au même moment on frappa.

— C'est Paco, dit-il. Il vient m'aider à m'habiller.

Le jeune homme qui entra ne parut pas surpris de trouver une femme dans la chambre du matador. Il serra la main d'Isabel tandis qu'Alejandro commandait par téléphone des cafés. Puis les deux hommes passèrent dans la chambre.

Quand il revint dans le salon, Alejandro était méconnaissable, tel un étranger surgi du passé. Sa veste brodée paraissait moulée sur lui et les jambes de sa culotte étaient serrées sous les genoux par des lacets ornés de glands. Il portait les bas rose framboise traditionnels, ornés sur le côté d'une flèche noire. Ses chaussures souples, en peau noire, sans talons, ressemblaient à des chaussons de danse. Sa ceinture de soie rouge s'harmonisait avec la *corbata* — la cravate — et il tenait à la main la *montera*, le chapeau noir. Lorsqu'il tourna la tête pour dire quelque chose à Paco, Isabel aperçut le petit chignon postiche traditionnel, insigne de sa profession.

Alejandro posa sur la jeune femme un regard sérieux et lui tendit un billet.

— Vous serez seule aux arènes, Carlos et Paco restent avec moi. Je suis désolé de ne pas vous fournir d'escorte. Je vous retrouverai ici dès que possible. Nous dînerons ensemble.

— C'est impossible. Je pars tout de suite après la corrida.

— Vous ne pouvez pas emporter votre valise là-bas.

— Je vais la mettre dans ma voiture.

— Ne faites pas la sotte, Isabel. Si vous voulez vraiment partir, je vous reconduirai à votre voiture après le spectacle.

— Alejandro, je...

— Je n'ai pas le temps de discuter. Rendez-vous ici. A tout à l'heure.

Sa phrase avait claqué comme un ordre mais il ajouta :

— S'il vous plaît.

Il la prit dans ses bras et la serra contre lui. Isabel sentit les broderies rugueuses contre son corsage. Quand il l'embrassa, elle comprit soudain pourquoi elle voulait partir : elle avait peur, non pas de lui, mais d'elle-même.

La corrida commença. Le premier taureau qu'Alejandro eut à combattre avait de petites cornes et les pattes faibles. Le matador ne trouva pas l'occasion de se surpasser et l'expédia sans gloire. Le toréador suivant lutta contre un taureau qui, en suivant la cape rouge, fonça dans la barrière, se cassa une corne et dut être attiré hors de l'arène par les valets. Il fut remplacé par une bête aussi décevante que le numéro un. La foule manifestait son mécontentement.

J'espère que les autres seront meilleurs, pensait Isabel qui, assise au premier rang, voyait de sa place Alejandro guetter l'arrivée du prochain taureau.

Le portail s'ouvrit enfin et la bête déboula dans l'arène. C'était un vigoureux monstre noir, aux cornes magnifiques ; il n'hésita qu'une seconde avant de foncer sur le torero qui agita devant lui sa cape de couleur :

— Ahaa ! *Toro*, ahaa !

Le taureau chargea, tête basse, cornes pointées. Alejandro exécuta une passe savante, puis une autre et encore une autre. Il termina la série par un lent tour sur lui-même que la foule acclama.

— Olé! Olé! Matador!

Quand les picadors pénétrèrent dans l'arène, montés sur leurs chevaux capitonnés, les non-initiés se mirent à siffler, ne voyant pas la nécessité de fatiguer la bête pour la rendre plus manœuvrable. Alejandro n'autorisa qu'une seule pique et exécuta trois passes de cape. Puis les picadors s'en allèrent. Des assistants vinrent ensuite planter leurs banderilles. Et ce fut le *tercio*, le troisième acte de la tragédie.

Alejandro prit des mains de Paco la cape rouge et l'épée, et vint se placer juste devant Isabel. Son voisin se tourna vers elle et lui dit :

— Il faut vous lever, *señorita*.

Tous les regards se tournèrent vers elle en même temps que fusaient des sifflets.

— C'est pour vous, lui dit Alejandro.

Il lui tourna le dos et lança son chapeau par-dessus son épaule. Isabel l'attrapa au vol.

— *Gracias, matador*, dit-elle d'une voix claire, *muchas gracias !*

Alejandro commença la *faena*, le travail, tout près de la barrière. Il exécuta une passe, pieds joints, au cours de laquelle l'épée soutint la *muleta*. Puis il fit voltiger sa cape au-dessus de la tête du taureau... Isabel, devant l'audace croissante du matador, n'osait plus regarder. La foule hurlait, l'orchestre jouait à tout rompre. Enfin, Alejandro tenta une passe où le torero, placé de trois quarts, reçoit la bête sur son flanc droit. Mais ce taureau-là, refusant de suivre la cape rouge, ralentit, attrapa le matador par la jambe, le déséquilibra et le fit tomber.

Isabel mit une main sur sa bouche pour étouffer son cri. Sous ses yeux, l'équipe d'Alejandro se précipitait pour distraire l'animal. L'homme, cependant, refusant l'aide de Paco, s'était relevé seul et marchait vers la barrière en dissimulant un boitillement. Du sang inondait son bas rose.

— Ce n'est rien, dit le voisin d'Isabel. Juste une écorchure !

Une écorchure ! C'était vite dit ! Déjà, Carlos et Paco bandaient la jambe blessée. Mais Alejandro les renvoya d'un geste et reprit son travail avec calme comme si rien ne s'était passé. Il exécuta une série de mouvements dont la beauté réduisit la foule au silence. Le sang ruisselait le long de sa jambe, trempait sa chaussure et le sable. Ce fut les sourcils froncés de souffrance et le visage d'un blanc de craie que, sans une faute, il procéda à la mise à mort. Les juges lui accordèrent les deux oreilles.

Il alla se placer au centre de l'arène et salua, mais s'abstint du tour d'honneur. Carlos et Paco l'attendaient pour l'aider à passer la porte.

Aussitôt un taureau fut lâché, un autre matador se présenta et le spectacle continua, mais Isabel ne s'y intéressait plus. Complètement désemparée, elle resta un moment paralysée par l'émotion, puis réussit à se lever et chercha une sortie. Il fallait qu'elle sache, il fallait qu'elle le voie.

Soudain, Paco fut devant elle :

— Le matador vous demande de rentrer à l'hôtel et de l'attendre, dit-il.

— Comment va-t-il ?

— La blessure est profonde mais pas trop grave. Le médecin est auprès de lui.

Isabel regardait le jeune homme avec des yeux si égarés qu'il lui secoua le bras :

— *Señorita,* ça va ? Vous avez l'air plus mal en point que lui !

48

— Ça va, dit Isabel qui avait du mal à articuler.
— Vous l'attendrez ?
Elle hésita une seconde, puis hocha la tête.
— Oui, dit-elle, bien sûr. Je l'attendrai à l'hôtel.

Chapitre 5

— Vous n'êtes pas partie ? demanda Alejandro en entrant dans le salon.

— Non. Et votre jambe ?

Manzanares intervint :

— Il souffre beaucoup, répliqua-t-il à la place du blessé. Il faut qu'il se couche tout de suite.

— Je vais lui chercher un pyjama propre.

— Merci, nous allons nous occuper de lui. Je reste ici pour le cas où il aurait besoin de quelque chose.

Isabel regarda Alejandro qui dit d'une voix ferme :

— C'est très gentil à vous, Carlos, mais une fois déshabillé, je me débrouillerai. Comme la *señorita* Newman habite l'hôtel, elle acceptera sûrement de veiller sur moi cette nuit.

Carlos, refoulant son irritation, fit signe à Paco. Ils soutinrent Alejandro jusqu'à son lit, le déshabillèrent et le couchèrent. Puis Carlos expliqua à Isabel que le matador avait des médicaments à prendre toutes les quatre heures.

— On lui a fait une piqûre de pénicilline et une de sérum antitétanique mais il n'a pas pris de calmant. Il ne voulait pas dormir avant d'être arrivé ici... Appelez-moi immédiatement s'il ne va pas bien.

— Oui, dit Isabel.

— Alejandro est entêté, reprit Manzanares, il ne vous avouera jamais qu'il souffre... Ce sera à vous de le deviner.

— Je le surveillerai. Ne vous inquiétez pas.

Quand elle revint dans la chambre, les médicaments commençaient à faire effet et Alejandro sommeillait. Il l'appela d'un geste.

— Navré de vous contraindre à rester mais de toute façon je ne voulais pas vous laisser partir, dit-il d'une voix pâteuse.

Elle lui serra doucement la main.

— Je ne vous quitterai pas tant que vous n'irez pas mieux. Vous souffrez moins ?

— Oui.

— Vous m'avez fait une peur affreuse.

— Ce sont des choses qui arrivent, Isabel...

Ses yeux se fermaient, il bredouilla :

— Fichues pilules...

— Dormez, je suis là.

— Vous vous contenterez du canapé ?

— Oui. Dormez.

Mais elle ne s'installa pas dans le salon. Une fois déshabillée, elle se blottit dans un fauteuil près du lit. Quatre heures plus tard, elle le réveillait pour lui administrer ses médicaments. Il les avala et se rendormit aussitôt. Isabel se permit alors quelques heures de sommeil, non sans avoir remonté son réveil. A l'heure prévue, elle lui donna ses comprimés. Alejandro comprit qu'elle l'avait veillé.

— Allez dormir, ne restez pas là.

— Je veux vous surveiller.

— Alors venez dans mon lit.

— Alejandro !

— Ne craignez rien, je suis complètement abruti. Je vous promets sur la tête de ma grand-mère que...

Il gémit. Isabel se pencha sur lui. D'un geste caressant, elle écarta les cheveux qui tombaient sur son front et murmura :

— Soyez sage, Alec. Les comprimés vont faire leur effet. Fermez les yeux. Là... Dormez. Je suis auprès de vous.

Le lendemain matin, à la première heure, le médecin vint voir son blessé. Isabel toucha l'épaule d'Alejandro, l'avertit de la visite et s'éclipsa.

Le Dr Enfante était un homme corpulent portant favoris et moustache. Il examina la blessure, fit une seconde injection de pénicilline et déclara, avec un bon sourire :

— Tout va bien, matador, pas de signe d'infection.

Il se tourna ensuite vers Isabel qui regardait la scène, en retrait.

— Gardez-le allongé aujourd'hui. Pas de douche. Faites-lui sa toilette au lit.

Alejandro sourit avec malice. Dès que le médecin les eut quittés, il lança :

— Si ça ne vous dérange pas, j'aimerais bien faire ma toilette.

— Vous, vous allez mieux ! dit Isabel en se dirigeant vers la salle de bains.

Elle rapporta une cuvette d'eau tiède, un gant savonneux et une serviette.

— Lavez-vous la figure et les mains. Je vous frotterai la poitrine et le dos.

Isabel n'avait jamais fait la toilette d'un homme. Elle se plut à rafraîchir le torse musclé, les épaules douces. Malgré elle, ses doigts s'attardèrent sur la toison brune qui bouclait sur la poitrine.

— Les jambes, maintenant ! dit-elle en retroussant le bas du pyjama.

Alejandro avait des jambes superbes, fuselées, le

genou fin. La gorge serrée, Isabel les lava et les sécha. Lorqu'elle se redressa, ce fut pour entendre Alejandro protester :

— Hé ! Ce n'est pas fini.

Sans répondre, Isabel alla rincer le gant de toilette et revint le lui mettre dans la main.

— Terminez ! Je vais vous chercher un pyjama propre et commander le petit déjeuner.

— Très bien, *señorita*, et merci !

Il n'insista pas.

Après avoir mangé, il dormit presque toute la journée. Vers le soir, il se réveilla et raconta :

— J'ai rêvé d'un petit village basque. Pasajes de... Ah ! Comment s'appelle-t-il donc ? Pasajes de... San Pedro. Voilà. C'est à quelques kilomètres de Saint-Sébastien, près de la frontière française. Vous connaissez ?

Isabel fit signe que non.

— Il n'y a pas beaucoup de gens qui connaissent. J'ai rêvé que nous y étions ensemble.

— Alejandro...

— Allons-y. Allons à Pasajes.

— Impossible.

— Pourquoi ?

— J'ai mon travail.

— Vous ne pouvez pas prendre quelques jours de vacances ?

— Si, je pourrais, mon congé annuel approche, mais je ne veux pas.

— On resterait toute la journée sur la plage, dit-il. On nagerait, on se promènerait, on bavarderait, on... on mangerait des sardines fraîches ! Venez avec moi, insista-t-il en lui prenant la main.

— Désolée, c'est impossible.

Elle s'éloigna de lui pour ne pas changer d'avis et alla commander le dîner. Ils mangèrent des tomates et du fromage, puis il prit ses médicaments.

— Ils vont vous aider à dormir, dit-elle d'un ton acide. Si vous avez besoin de quelque chose, appelez-moi, je laisse la porte ouverte.

— Merci, c'est gentil.

— Il n'y a pas de quoi.

Dans le salon, Isabel se déshabilla en tremblant. Elle s'en voulait de sa froideur, mais le pas qu'Alejandro lui demandait de franchir était trop grand. Pourtant, elle mourait d'envie de l'accompagner à Pasajes... ou ailleurs... partout où il voudrait bien l'emmener. Elle éteignit et s'allongea, les yeux ouverts dans le noir.

Alejandro, lui aussi, resta longtemps à fixer les ténèbres. Il pensait qu'il avait eu tort de lui demander de l'accompagner, de supposer qu'elle accepterait. Cette femme... Cette femme était belle, certes, mais des qualités plus précieuses l'attiraient vers elle ; une présence, une âme, une chaleur, une tendresse enveloppantes dont les autres femmes lui paraissaient dépourvues...

Il la revoyait dans sa chambre à Madrid. Malgré les invités qui l'attendaient dans la pièce voisine, il avait eu envie de s'allonger à côté d'elle, là, tout simplement, de la faire vibrer de passion, de la forcer à avouer qu'elle partageait son désir. Isabel, songeait-il, Isabel... Il s'endormit.

Il rêva de taureaux. Il était redevenu un tout jeune matador aux jambes d'acier, debout, impassible, au centre de l'arène, face au portail de bois qui allait s'ouvrir sur la bête. L'orchestre jouait un paso doble, mais il remarquait quelque chose d'inhabituel : il n'y avait pas un, mais quatre portails, aux quatre points cardinaux. Il protestait : ce n'est pas de jeu ! Mais personne ne lui prêtait attention. Les portails s'ouvraient, quatre taureaux fonçaient sur lui. Il ne pouvait pas courir, ses gestes étaient ralentis, la cape rouge était sa seule protection qu'il brandissait devant lui, comme un bouclier. Le premier taureau chargeait. Il réussissait à l'éviter, puis faisait face au second... et l'horrible corrida continuait, continuait, avec ses charges hallucinantes. Ce n'est pas de jeu, ce n'est pas loyal, pensait-il, muet de terreur.

— Non, non !

Le plus gros des taureaux baissait la tête, chargeait. Il sentait son souffle, son odeur, voyait ses yeux méchants. Il reculait sur sa jambe blessée, tombait, hurlait. Les cornes le secouaient...

— Jésus, Jésus !

— Alejandro !

— Non, non !

— C'est un cauchemar, réveillez-vous ! Chut... disait Isabel.

Il ouvrit les yeux. Isabel était penchée sur lui. Avec un soupir, il l'enlaça et posa contre sa poitrine son front couvert de sueur. Il resta sans bouger, blotti contre elle, jusqu'à ce qu'elle le réinstalle doucement sur ses oreillers.

— Ne me laissez pas, supplia-t-il.

Isabel le regarda longuement, puis, avec un léger soupir, elle ouvrit le lit et s'allongea à côté de lui. Elle le prit dans ses bras, lui cala la tête au creux de son épaule et lui caressa tendrement les cheveux. Son tremblement s'apaisa peu à peu et il s'endormit.

A l'aube, de la musique réveilla Isabel. En dormant ils avaient changé de position : il la tenait dans ses bras et c'était elle qui avait la tête sur sa poitrine. Il faut que je me lève, se dit-elle. Il faut que je me... et elle se rendormit.

Dans la matinée, le soleil la tira du sommeil. Elle contempla Alejandro encore plongé dans des rêves agités ; avec ses cheveux noirs en broussaille, ses longs cils, son nez fin et droit, sa bouche sensuelle, cet homme était beau. A quoi rêvait-il ? Elle se rappela sa terreur de la nuit, son corps baigné de sueur. Comme il était vulnérable, cet être aux gestes de danseur qui imposait sa volonté à des bêtes monumentales. Ses taureaux... Il vivait donc avec eux jour et nuit ?

Le torero ouvrit les yeux et dit :

— J'ai rêvé...

— Oui.

— Un cauchemar, ajouta-t-il en lissant ses cheveux. Je suis désolé, Isabel.

— Ce n'est rien. Comment vous sentez-vous ?

— Mieux. Je n'ai plus mal.

— Très bien, dit-elle.

Tout à coup elle se rendit compte de son étrange situation, couchée dans le lit d'un monsieur qu'elle connaissait à peine et bavardant paisiblement avec lui. Elle feignit le plus grand naturel.

— Vous avez faim ?

— Je suis affamé.

— C'est bon signe, je vais téléphoner.

— Mais ce n'est pas de nourriture que j'ai faim, dit-il en la prenant dans ses bras.

— Alejandro, laissez-moi ! protesta Isabel qui sentait toutes ses résolutions fondre comme neige sous ses caresses.

— Dans une minute.

— Nous ne pouvons pas... nous...

Il posa ses lèvres sur les siennes et les força à s'entrouvrir, puis il caressa son dos souple, ses seins fermes et gonflés.

— Non, murmurait Isabel, oh non !...

— Mais si, répliquait Alejandro, vous savez bien que c'est oui...

Alors, Isabel ferma les yeux et céda.

— Alec...

Il lui embrassa le coin de la bouche, couvrit son visage, son cou et ses bras de petits baisers rapides. Parcourue par des vagues de plaisir brûlantes, elle se serrait contre lui. Le visage d'Alejandro exprimait l'émerveillement. Il passa les doigts dans les cheveux de feu et se serra contre elle en murmurant son nom avec passion.

— Attention, dit-elle, votre jambe.

— Je ferai attention. Oh! Isabel...

Elle essaya sans conviction de le repousser mais, en bougeant contre lui, elle ne fit qu'exacerber le plaisir tout nouveau et inimaginable qu'elle éprouvait. Quand Alejandro eut remonté sa longue chemise de nuit pour serrer son corps nu contre le sien, Isabel sentit l'odeur de ses cheveux et identifia son parfum au vétiver — enivrant, épicé... Ce torero espagnol avait du goût.

Curieusement, elle connut brusquement l'impatience et supplia Alejandro à voix basse. Mais il ne voulait pas se hâter, la tenant sous sa domination, toute frémissante de passion, comme on dompte un animal. Il ménagea l'attente jusqu'au point limite de la résistance. Alors seulement il lui prouva qu'il était prêt.

— Oh! Ma belle amie!

Isabel fut envahie d'une sensation inconnue où le plaisir se mêlait à la peur.

— Ne craignez rien, ma chérie, dit-il.

Les ondes successives de plaisir emportaient la jeune femme de plus en plus haut, de plus en plus loin, jusqu'au tourbillon du vertige.

D'un geste convulsif, Alejandro l'étreignit alors

avec violence, et l'entraîna avec lui dans le gouffre. Ils basculèrent, accrochés l'un à l'autre, bouche contre bouche, jambes mêlées et incapables de freiner leur mouvement passionné.

De longues minutes après, Isabel reprit conscience de l'endroit où elle se trouvait, de son corps, du corps proche de son ami, de la tête lourde qui reposait sur son épaule, le visage enfoui dans ses cheveux. Elle se demandait qui avait bien pu gémir et crier tout à l'heure dans cette pièce. Moi ? se disait-elle. Est-ce possible ?

Alejandro lui caressa tendrement la gorge.

— Je le savais, je savais que ce serait magnifique. Vous êtes à moi maintenant.

Il garda un moment le silence puis reprit :

— Vous viendrez avec moi à Pasajes ?

Et Isabel répondit tout naturellement :

— Mais oui, Alejandro, oui, bien sûr.

Chapitre 6

Ils partirent le lendemain pour Saint-Sébastien et Pasajes de San Pedro. Avant de quitter Pampelune, Isabel avait téléphoné à son directeur, don Gustavo Alvarez, qu'elle avait décidé de prendre une semaine de congé. Elle avait mis sa voiture au garage et c'est dans le coupé Mercedes gris métallisé du torero qu'ils gagnèrent la côte cantabrique.

La journée était lumineuse, la campagne verte et vallonnée. Tout était à Isabel motif d'émerveillement : les fermes blanchies à la chaux, les jardinières remplies de fleurs aux riches couleurs, les rideaux de dentelle aux fenêtres, les bergers vêtus du noir traditionnel, les troupeaux, les champs dorés... Quand la route commença à grimper en lacet, Alejandro posa sa main à côté de la sienne. Le soleil tapait sur leurs têtes nues, la brise odorante et légère des collines les rafraîchissait agréablement.

Touchée par le geste de son compagnon, Isabel lança un bref coup d'œil vers lui. Un vrai romanichel, se dit-elle, avec son teint foncé, sa tignasse ébouriffée par le vent et ses yeux cachés par les lunettes noires.

En début d'après-midi, ils atteignirent Saint-Sébastien, qu'Isabel traversa prudemment, étonnée par le nombre des touristes. Guidée par Alejandro, elle gagna la belle plage de la Concha, où ils déjeunèrent à la terrasse d'un restaurant qui donnait sur le port. Quand le garçon apporta le menu, Isabel dit tout naturellement à Alejandro :

— Vous choisissez pour moi aussi !

Elle se rappela en rougissant l'indignation qu'elle avait éprouvée chez *Botin* quand il avait commandé sans la consulter.

Ils commencèrent par des sardines grillées et des cœurs d'artichaut vinaigrette, puis Alejandro se fit servir le calmar farci et commanda des crevettes pour Isabel qui faisait une grimace de dégoût. Il insista toutefois pour qu'elle goûte le calmar et rit de bon cœur quand, après quelques bouchées, elle en réclama toute une portion.

Après le déjeuner, ils empruntèrent la route côtière jusqu'à Pasajes où ils prirent une chambre avec balcon dans un hôtel qui bordait la plage.

— Comme c'est joli ! dit Isabel, je suis si contente.

— Moi aussi. On va se baigner ?

— Mais votre jambe ?

— L'eau salée lui fera du bien.

— Bon, mais avant, allez faire une sieste.

— Une sieste ! Je n'en ai pas fait depuis l'âge de quatre ans !

— Vous êtes ici pour vous reposer. Le voyage vous a fatigué.

— Très bien, mais nous la ferons ensemble.

— Non, je lirai sur le balcon.

— Je ne me coucherai pas sans vous.

— Vous vous conduisez comme un enfant !

— Alors pardonnez-moi mes caprices !

Il alla prendre une douche. Lorsqu'il vint la retrouver, rafraîchi, les cheveux encore humides, une serviette nouée autour des reins, elle le regarda sans dissimuler son admiration. Son corps était bronzé, ses épaules larges, ses hanches étroites.

— Vous avez enlevé votre pansement ?

— Je les enlève toujours le plus tôt possible.

« Toujours ». Le mot sonnait comme un glas. En observant son corps plus attentivement, Isabel remarqua les cicatrices : une sur l'épaule droite ; un mince fil pourpre sur les côtes ; un large ruban tout mâchuré qui commençait à la taille et s'enfonçait sous la serviette de bain. Et la blessure fraîche, rouge vif, sur son mollet.

Isabel pinça les lèvres et alla à son tour se rafraîchir. Pas question de tomber amoureuse de cet individu, se disait-elle en se savonnant avec rage. Pas question de vivre dans la terreur, dans la douleur de voir sur ce corps de danseur se multiplier les blessures. Elle en était malade d'avance.

L'eau bouillante ne réussit pas à la détendre. Elle s'attarda dans la salle de bains, se brossa longuement les cheveux qui brillèrent bientôt comme des copeaux de cuivre. Elle enfila une robe pêche et revint dans la chambre. Alejandro s'était allongé, les bras repliés sous la tête. La brise de mer entrait par la fenêtre ouverte. Il lui tendit la main et ferma les yeux :

— Je dors presque, marmonna-t-il en soupirant d'aise.

Il commença à la caresser, la plongeant peu à peu dans une délicieuse ivresse. Elle fit un geste.

— Non, laissez-moi faire, dit-il. Vous, restez tranquille.

Il prit sa bouche entre ses dents et la mordilla avec une tendre sensualité. Il suivit du bout des lèvres la courbe de sa mâchoire, le lobe de son oreille, le dessin de sa gorge. Isabel sentait son souffle sur sa poitrine et avait l'impression de nager en plein rêve en même temps qu'elle éprouvait des sensations étrangères à toute espèce de songe. Un monde de passion brûlante. Elle n'avait qu'un désir, se perdre, se fondre en lui, devenir une partie de lui-même...

— Alejandro, je vous en prie. Oh! Je vous en prie...

Il l'attira contre lui.

— Je pourrais vous caresser pendant des heures chuchota-t-il. Jamais je ne me lasserai de vous, jamais.

Ces mots eurent un effet immédiat : Isabel se cambra contre lui avec un sourd gémissement. Ils basculèrent au sommet du vertige, unis, et atteignirent l'extase ensemble. Un instant d'éternité. Puis ils s'apaisèrent, Alejandro serra Isabel entre ses bras et enfouit son visage dans la masse des cheveux roux.

— Vous savez, dit-il, c'est le jour où je vous ai vue pour la première fois que nous aurions dû nous aimer. Ce jour-là, vous étiez tout en rose, si féminine, si douce. J'ai gardé votre chapeau pour vous obliger à venir chez moi.

— Je sais. D'ailleurs, je ne suis venue chez vous que pour le reprendre.

— Menteuse!

— C'est vrai, admit-elle.

Un peu plus tard, ils descendirent à la plage, nagèrent longtemps, ensuite allèrent dîner à Saint-Sébastien dans une taverne de la vieille ville — très traditionnelle avec ses jambons fumés suspendus au plafond de bois, ses tonneaux de vin, ses marmites de cuivre et ses nappes rouges. Ils choisirent une paella servie avec des tranches de pain frottées d'ail et burent du vin rouge. Un vrai régal. Le dîner achevé, ils se promenèrent sur la plage et contemplèrent les bateaux de pêche sur l'océan baigné de lune. Main dans la main, ils ne rentrèrent à Pasajes que pour s'aimer et s'endormir dans les bras l'un de l'autre.

Le lendemain, Alejandro proposa d'aller en France. Ils passèrent la frontière pour gagner Biarritz, où ils flânèrent devant les vitrines. Isabel entra dans une boutique qui vendait des souvenirs, Alejandro l'y laissa seule quelques minutes. A la fin du déjeuner, il lui tendit une petite boîte blanche dans laquelle Isabel découvrit avec ravissement un bracelet d'or auquel était suspendu un minuscule hippocampe. Alejandro lui agrafa le bijou au poignet.

— Nous attacherons d'autres breloques pour que vous vous souveniez de tous les endroits où nous aurons été ensemble. Ce bracelet deviendra si lourd que vous ne pourrez plus soulever le bras !

— Alejandro...

— Je ne comprends pas très bien ce qui m'arrive, dit-il à voix basse. Tout ce que je sais, c'est que j'ai toujours envie de vous, envie de vous toucher et de vous embrasser... Mangez votre dessert et ne me regardez pas avec ces grands yeux surpris ou je vous prends dans mes bras tout de suite !

C'est bizarre, se disait Isabel. Il parle de désir, mais pas d'amour. Moi aussi je le désire. Que nous arrive-t-il à tous les deux ?

Lorsqu'ils regagnèrent Pasajes, il faisait nuit. Dans la chambre de l'hôtel la chaleur était étouffante.

— On va se baigner ? proposa Alejandro.

Isabel enfila son maillot et sa tunique de plage turquoise, noua ses cheveux en chignon.

Sur la plage, il n'y avait personne et l'eau était

délicieuse. Les vaguelettes clapotaient. Ils nagèrent longuement côte à côte sans jamais perdre pied.

— Tout est désert, dit Isabel. C'est comme si nous étions tout seuls sur terre.

— Je voudrais bien.

— Que feriez-vous ?

— Je dormirais avec vous sur la plage.

— Comme un sauvage, comme un homme des cavernes ! dit Isabel avec une sévérité moqueuse en retrouvant des mots déjà prononcés devant lui.

— C'est exactement ce que je suis ! dit-il.

Isabel faisait la planche. Elle contemplait le ciel, se laissait porter par l'eau. Tout doucement, Alejandro fit glisser les bretelles de son maillot de bain et découvrit son buste. Quelle nuit, se disait la jeune femme en se laissant caresser. Une nuit qu'elle n'oublierait pas, jamais.

Soudain, elle échappa des mains tentatrices et se mit à nager rapidement dans un rayon de lune, fendant le velours de l'océan. Alejandro la rattrapa et l'enlaça.

— Ne vous sauvez pas comme ça, dit-il en la serrant contre lui.

Mi-sérieux, mi-taquin, il enroula ses jambes autour des siennes et ils coulèrent ensemble, bouche contre bouche. Un instant plus tard, comme ils regagnaient la plage, toutes les lumières de l'hôtel s'éteignirent.

— Tiens, il est plus tard que je ne pensais, dit Alejandro... Défaites vos cheveux, ils sécheront plus vite.

Dès qu'elle eut dénoué son chignon, il la prit par la main et l'entraîna dans la direction opposée à l'hôtel. Il étala sa serviette sur le sable, la fit asseoir, se laissa tomber à côté d'elle. Sa bouche s'empara aussitôt des lèvres de la jeune femme et il s'allongea sur elle.

Malgré le bain et la fraîcheur de la nuit, Isabel était brûlante de passion. Elle gémit quand son compagnon enleva son maillot de bain et posa les lèvres sur son ventre soyeux, sur le satin de ses cuisses. Ensemble, sous les étoiles, ils se murmurèrent des mots vieux comme le monde, échangèrent des soupirs de plaisir, s'émerveillant de si bien s'accorder. Une fois de plus, ils connurent l'éblouissement.

Ils retournèrent se baigner pour laver le sable collé. Jamais, se répétait Isabel, jamais je n'oublierai...

Le lendemain, tard dans la matinée, ils déjeunaient au restaurant de la plage quand Alejandro remarqua un homme à cheveux gris assis seul à une table de la terrasse. Le client avait appuyé contre le mur des béquilles qu'un garçon pressé fit tomber avec bruit.

— Excusez-moi, monsieur, dit le garçon.

— Ça va, peu importe, répondit l'homme.

Il n'avait qu'une jambe.

— Je suis encore plus maladroit que d'habitude, reprit le garçon. Un peu de vin, *señor* Briviesca ? Un sandwich ?

— Non, merci.

Cervantes sursauta.

— Rufino ? lança-t-il en pâlissant. Rufino ?

L'homme pivota brusquement sur sa chaise. La surprise agrandit ses yeux.

— Sainte mère de Dieu ! fit-il. Vous !

Il essaya de se lever, mais perdit l'équilibre et se rattrapa au bord de la table. Alejandro, d'un bond, était déjà près de lui, le soutenait. Ils se donnèrent l'accolade, émus aux larmes.

— C'est incroyable, dit Alejandro en aidant son ami à se rasseoir. *Dios mío*, combien de temps ? Cinq ans ?

— Six. Vous étiez à Malaga avec Galan et ce Mexicain, vous savez, Curro Rivera.

— C'est vrai, j'avais oublié. Il y a si longtemps.

Il se tourna vers Isabel et lui fit signe d'approcher.

— Isabel, je veux vous présenter quelqu'un, dit-il. Rufino Briviesca, le meilleur *banderillo* du monde.

— C'est vieux tout ça, dit Briviesca en prenant la main que lui tendait Isabel.

— Tu attends quelqu'un ? demanda Alejandro, ou nous pouvons venir à ta table ?

— Non, je suis seul, matador. Je serais heureux de vous accueillir, vous et la jeune dame. Que puis-je vous offrir ?

— Ma foi, c'est l'heure du manzanilla...

Alejandro soupira.

— Pourquoi ne m'avais-tu rien dit pour ta jambe ?

— Il n'y avait rien à dire, Alec. Il a fallu la couper à cause de l'infection.

— Il fallait me prévenir ! Tu n'aurais pas dû disparaître ainsi.

— Vous étiez au Mexique quand c'est arrivé.

— Mais je croyais que tout allait bien ! J'ai essayé de te retrouver, j'ai demandé à tout le monde, personne ne savait où tu étais. Tu avais disparu, purement et simplement.

— J'étais chez ma sœur. Elle avait une petite ferme près de Cordoue. Elle est morte l'année dernière.

— Je vois... Rufino était mon *banderillo*, expliqua-t-il à Isabel. C'était lui qui plantait les banderilles. Il a reçu un coup de corne dans la jambe droite. Ce jour-là, il m'a sauvé la vie. C'est moi qui aurais dû tout prendre !

— Pas du tout ! C'est ma faute ! Le taureau m'a attrapé. De toute façon, il était temps que je me retire.

— Je croyais que ta jambe avait guéri.

— Elle a guéri, mais mal. Je faisais des abcès à répétition. Puis mes veines se sont bouchées. J'en avais tellement assez que j'ai été content qu'on la coupe.

— Quand ?

— Il y a trois ans. J'ai eu une jambe artificielle, mais elle n'était pas bien adaptée.

— Je t'en trouverai une qui le sera !

Rufino hocha la tête :

— Je m'arrange.

— On a fait des progrès, tu sais. Maintenant, il existe de très bonnes prothèses. Dis-moi, que fais-tu ces temps-ci ?

Briviesca le regarda une seconde.

— Rien, dit-il. Luis Martinez, vous vous souvenez de lui ? Il voudrait que je travaille pour lui.

— Laisse tomber. Je te prends dans mon élevage.

— Je ne demande pas la charité, dit Rufino en le regardant fixement.

— La charité ! Ça fait des mois que je cherche quelqu'un à qui confier *La Esperanza*. Mon intendant actuel me vole. J'ai perdu de bonnes bêtes par sa faute. Il ne s'y connaît pas plus en élevage qu'un balayeur des rues. Il me faut quelqu'un à qui je puisse faire confiance ou je serai obligé de vendre.

— C'est vrai ?

— Parole d'homme, assura Alejandro.

Un éclair de joie jaillit des yeux de Rufino, puis il soupira :

— Je ne pourrai pas, Alec, plus maintenant.

— Tu pourras quand tu auras ta nouvelle jambe. Si tu es d'accord, je vais t'envoyer à Genève dans une clinique, chez quelqu'un dont m'a parlé Pepe Vasquez. Il te fabriquera une jambe et ne te laissera repartir que lorsque tu gambaderas avec !

— *La Esperanza*, murmura Briviesca. L'espérance. Je ne devrais pas accepter. Une moitié de moi-même refuse avec orgueil et l'autre moitié pleure de joie à l'idée de jeter ces fichues béquilles... et de vivre auprès des taureaux, de monter à cheval dans les champs, au milieu des troupeaux, de sentir leur odeur de girofle et de fumier... *Manito*, ajouta-t-il en prenant le bras d'Alejandro, je travaillerai pour vous comme un forcené. Je n'oublierai jamais.

— Ce n'est pas une faveur. Tu l'as bien mérité.

Les deux hommes levèrent leurs verres et trinquèrent.

— A notre santé. A nous deux, nous ferons de *La Esperanza* le plus bel élevage d'Espagne.

Isabel regardait ses compagnons. Quel âge pouvait avoir Briviesca ? La soixantaine ? Mais ses années de souffrance l'avaient peut-être prématurément vieilli ? Alejandro bavardait avec animation. Elle se sentait exclue de la conversation mais comprenait leur besoin de parler des taureaux, des corridas et de leurs amis communs. Ils restèrent là tout l'après-midi, à boire du manzanilla.

— Vous vous souvenez de ce dimanche à Mexico ? Avec ces taureaux de Tequisquiapan ? Et le vôtre, matador ? Comment il s'appelait, déjà ? *Tibúron*, le requin. Vous vous rappelez ses cornes ?

— Ce jour-là, les autres toreros étaient Joselito

70

Huerta. Et Manolo Arruza. Il avait enfin le droit de tuer des taureaux adultes ! Il a fait cinq ou six passes de cape si belles que j'en étais malade de jalousie.

— Et ses banderilles, Alec ? Comme son père, hein ? C'était à peine croyable.

La conversation se poursuivait, intarissable. Tout à coup, Alejandro se pencha vers Isabel et lui prit la main. Elle en profita pour lui dire :

— Vous ne voulez pas manger quelque chose ?

Il fit non de la tête. La nuit tombait. Rufino déclara :

— Je crois que je suis complètement ivre, *Manito* !

— Moi aussi, *amigo*, dit Alejandro.

Il appela le garçon, paya, puis aida Briviesca à se lever et lui tendit ses béquilles.

— Où habites-tu ? Nous allons te raccompagner.

— Non, non, je peux me débrouiller...

Alejandro insista. Briviesca logeait au premier étage d'un café populaire.

— J'ai une chambre ici. Ce n'est que temporaire.

— Fais tes bagages demain. Je t'emmènerai à Biarritz dès que j'aurai pris contact avec ce médecin de Genève. Tu prendras l'avion de là-bas.

— Je ne sais que vous dire...

— Alors ne dis rien.

Tout en regagnant bras dessus, bras dessous leur hôtel, Alejandro et Isabel restèrent silencieux. Isabel voyait bien que son compagnon avait dépassé la dose raisonnable d'alcool, mais elle ne lui fit aucune réflexion désobligeante. Elle l'aida à se déshabiller et à se coucher. Il s'endormit comme une masse.

Allongée à côté de lui, elle attendit longtemps le sommeil, en pensant à Rufino Briviesca, à sa jambe coupée, à sa fatigue, sa solitude et sa vieillesse prématurée.

Après, elle rêva. Briviesca, sur une jambe, était dans l'arène. Puis il se transformait en Alejandro. On le reconnaissait à sa jambe bandée. Puis la jambe disparaissait. Et Briviesca, appuyé contre la barrière, disait :

— Vous voyez ce qui arrive quand la chance tourne, matador ?

Elle se réveilla, en sueur, le cœur cognant dans la poitrine, et elle dut toucher la jambe d'Alejandro pour se rassurer. Elle resta les yeux grands ouverts jusqu'à l'aube et regarda les ombres se dissoudre lentement dans la chambre.

Chapitre 7

Alejandro tint promesse dès le lendemain matin. Il téléphona à Genève, s'entretint avec le Dr Schmidt, retint une chambre pour Rufino dans sa clinique, prit rendez-vous avec le prothésiste et demanda que les factures lui soient envoyées. Lorsque l'affaire fut réglée, ils partirent tous trois pour Biarritz où Rufino prit l'avion.

— Il sera au domaine dans un ou deux mois, dit Alejandro.

— Vous avez vraiment besoin de lui là-bas ?

— On a toujours besoin d'un ami. Et puis, il tiendra compagnie à Juan.

— Juan ?

— Mon neveu. Le fils de ma sœur. Je ne vous ai pas parlé de lui ? Il y a un an, ma sœur et mon beau-frère se sont tués en voiture. Juan avait treize ans. Je l'ai pris chez moi. Nous nous entendons bien, c'est un bon petit gosse. Il va bientôt faire ses débuts comme jeune matador.

— A quatorze ans ?

— J'ai commencé à quatorze ans. Le métier de torero est une vocation, Isabel. Vous ne vous souvenez pas de notre dîner chez *Botin* ? Je vous avais dit que mon métier comptait pour moi plus que tout au monde.

— Oui, je me souviens.

— On doit être complètement pris par les taureaux, complètement imprégné, ils deviennent le tissu même de notre vie, de nos pensées, de nos rêves... Vous viendrez me voir à *La Esperanza*, n'est-ce pas ? Je suis sûr que l'endroit vous plaira.

— Vous avez un élevage ?

— Oui, un élevage de taureaux issus de souches sélectionnées depuis des siècles. Ce sont les animaux les plus courageux et les plus sauvages du monde. Nous irons les voir à cheval. Ils vivent en liberté dans les pâturages et tant qu'ils sont en troupeau ils ne prêtent pas attention aux cavaliers. Ce n'est que séparé du groupe et enfermé dans une enceinte close qu'un taureau se montre agressif... Il est alors capable de charger un camion ! Je parle trop, ajouta-t-il après un court silence en se passant la main sur les cheveux. Je parle toujours trop quand il s'agit de *La Esperanza*. J'espère qu'au moment de ma retraite de matador, l'élevage me passionnera assez pour que le temps ne paraisse pas trop long...

— Et quand cesserez-vous ?

— Dans huit ou neuf ans.

— Huit ou neuf ans !

— J'ai trente-trois ans, Isabel, il me reste quelques bonnes années devant moi !

Comme elle ne répondait pas, il lui prit la main et reprit :

— Excusez-moi pour hier soir. Je ne bois pas autant d'habitude.

— Bien sûr.

— C'est le choc d'avoir retrouvé Rufino amputé.

— Je comprends.

— Ah ! si vous l'aviez connu autrefois ! Le meilleur *banderillo* d'Espagne ! Agile et rapide...

Et maintenant unijambiste, pensa Isabel avec tristesse.

Leur départ approchait. Ils devaient quitter Pasajes le lendemain. Isabel se montrait moins expansive que les premiers jours. Elle nageait, se promenait sur la plage en compagnie d'Alejandro et ne fit aucun commentaire quand il lui annonça qu'il se sentait assez bien pour toréer à Valence, le 27 juillet.

— Vous viendrez ? Nous pourrions arriver là-bas le vendredi et passer le week-end ensemble.

— Je ne sais pas. J'ai une masse de travail qui m'attend au bureau et je dois aller à Jerez de la Frontera avant la fin du mois.

— A Jerez ? Mais alors vous pourrez habiter *La Esperanza* ! s'écria-t-il en l'étreignant joyeusement. Je dois y retourner pour m'entraîner. Vous voyez comme tout s'arrange ! Juste au moment où je me demandais comment nous allions nous organiser, vous et moi !

Isabel, mi-figue, mi-raisin, le regarda.

— Mais j'ai mon travail, dit-elle et je ne peux m'absenter comme bon me semble ! Je viens de prendre une semaine de congé. Je dois travailler à Jerez.

— Démissionnez !

— Comment !

— Démissionnez, je m'occuperai de vous.

— Alejandro ! Pour qui me prenez-vous ?

— Je veux que vous viviez avec moi. Votre travail n'a pas une telle importance...

— Si, il est important pour moi.

— Et vous, vous êtes importante pour moi. Je sais aussi que je compte pour vous. En Espagne, l'homme qui compte pour une femme passe avant son métier. Les Espagnoles...

— Je les ai vues chez vous, les Espagnoles, coupa-t-elle. Suspendues à vos basques ! Si c'est ce que vous cherchez, allez donc les retrouver !

Alejandro lui posa les mains sur les épaules.

— Mais non, ce n'est pas ce que je cherche. Je vous veux, vous ; je veux vous protéger. J'ai les moyens de vous entretenir, de vous acheter tout ce dont vous aurez besoin.

Isabel, comme souffletée, fit un bond en arrière.

— Allons donc ! s'écria-t-elle, comment osez-vous ?

— Vous avez déjà vécu avec un homme !

— Oui, c'est vrai, mais il était mon amant, pas mon protecteur. Il ne payait ni mon loyer, ni mes factures, ni mes robes ! Je travaillais !

Le visage d'Alejandro se ferma.

— Ce n'est pas ainsi que les choses se passent en Espagne, dit-il. Ici, les hommes entretiennent leurs femmes, et tout le monde trouve la situation normale. Ecoutez, Isabel, nous venons de passer ensemble des jours merveilleux, les plus merveilleux de ma vie. Je veux que vous restiez avec moi. C'est absurde de vivre séparément à cause de votre travail !

Il lui tendit les bras, mais elle recula avec précipitation et se dirigea vers la salle de bains.

— Attendez une seconde, je veux vous parler.

— Non.

— Venez ici, jeune femme !

— Ne m'appelez pas ainsi !

Il lui attrapa le coude et la fit pivoter pour la serrer contre lui. Ils bouillaient tous deux de rage.

— Regardez-moi, dit-il.

— Laissez-moi tranquille !

— Regardez-moi !

Isabel obéit et planta dans ses yeux verts son regard d'or liquide.

— Ne vous conduisez plus jamais ainsi, dit Alejandro. Ne faites plus jamais comme si rien de sérieux n'existait entre nous. Vous êtes à moi.

— Je ne suis à personne.

— Si, à moi.

Il s'empara brutalement de sa bouche et, comme Isabel se débattait, il la renversa sur le lit en chuchotant :

— Vous êtes ma flamme, ma passion...

Folle de colère, Isabel lui martela les côtes de coups de poing. Elle s'agitait désespérément en sanglotant et lui enfonçait ses ongles dans le dos, sans savoir elle-même si c'était de fureur ou de passion.

En même temps, elle se cambrait contre lui et cherchait autant à l'étreindre qu'à le repousser. Elle posa la main sur les cheveux noirs. Ses lèvres s'entrouvrirent, comme par magie.

Alejandro roula sur le dos. Il enfonça les mains dans les cheveux roux et obligea la jeune femme à le regarder en face.

— Il n'y aura jamais plus d'autre femme pour moi, dit-il d'une voix étranglée. Oh ! mon amour, mon amour, rien ne pourra nous séparer.

Pepita Rodriguez savait qu'Isabel avait été à Pasajes, mais ignorait avec qui. Elle l'apprit en jetant un coup d'œil à la carte épinglée au bouquet de roses qui arriva au bureau le matin même de son retour.

« Vous êtes mon amour », lisait-on simplement au-dessus de la signature.

— *Dios mío*, dit Pepita, vous étiez avec Cervantes !

— Si vous ne tenez pas votre langue, je vous étrangle !

— Comment est-il ? Je veux dire : comment va-t-il ? Je sais qu'il a été blessé à Pampelune. Oh ! Mais, bien sûr, vous y étiez aussi !

— Pepita...

— Alors, c'est sérieux, dit Pepita en fronçant le nez. Moi qui m'inquiétais pour vous ! Je vous prenais pour une de ces Américaines qui ont un glaçon à la place du cœur et qui ne pensent qu'à leur carrière.

— Il m'arrive parfois de penser à autre chose qu'à ma carrière.

— Maintenant, je le sais. Comment est-il ?

— Beau.

— Oui, mais encore ?

— Orgueilleux.

— C'est normal pour un Espagnol. Quand le revoyez-vous ?

— Je ne sais pas. Le week-end prochain, peut-être.

— C'est sérieux, n'est-ce pas ?

— Je ne sais pas, Pepita, nous sommes si différents l'un de l'autre. Nous avons du mal à nous entendre. Alejandro ne comprend pas pourquoi je tiens à mon travail et, moi, je ne comprends pas tout à fait la passion qu'il éprouve pour son métier. De toute façon, il n'acceptera jamais d'en discuter ... surtout pas avec une femme.

— Vous voudriez en discuter avec lui ?

— Je ne sais pas, mais je crois que je ne pourrais pas supporter qu'il continue d'exercer cette profession. D'ailleurs, peu importe mon jugement, dit-

78

elle en souriant, nous n'avons pas encore envisagé de former des... liens durables.

— Vous voulez dire que vous n'avez pas parlé mariage ?

— Voilà.

Isabel prit une profonde inspiration et ajouta :

— Alejandro part pour le Mexique et l'Amérique du Sud à la fin de l'été... Moi, je ne vais pas tarder à rentrer aux Etats-Unis.

— A propos, vous souvenez-vous que je vous avais demandé si vous pouviez m'y emmener avec vous ?

— Oui, c'est arrangé, Le *señor* Alvarez m'a dit qu'il serait navré de vous perdre, mais que, si tel est votre désir...

— Justement, Isabel, je ne sais plus si j'ai envie de partir.

— Vous...

— Je sais. Mais Esteban et moi nous sommes beaucoup vus ces temps derniers. Il me plaît et...

— Et ?

— Et il m'a demandée en mariage.

— En mariage ! C'est merveilleux ! Quelle bonne nouvelle !

— Je n'ai pas encore accepté. Je ne suis pas sûre d'avoir envie d'épouser un homme qui vit dans la boue.

— Dans la boue ! Pepita ! Esteban est un de nos directeurs. Il ne travaille dans les vignobles que parce qu'il aime la nature. S'il le veut, il peut travailler à Madrid dès demain.

— Mais il ne veut pas, voilà le problème. Mon père était fermier, vous savez. Il n'a jamais porté de chaussures vraiment propres.

— Il vivait librement...

— Ce n'était pas l'avis de ma mère ! Elle appartenait à une vieille famille de Burgos ruinée par la guerre civile et avait dû interrompre ses études universitaires. Quand elle a épousé mon père, il était encore étudiant et elle croyait faire sa vie avec un futur avocat. Au lieu de cela, après un an de mariage, il a acheté une ferme. Ma mère a toujours détesté cette vie et moi aussi. Jamais je n'habiterai la campagne !

— Esteban n'est pas pauvre. Vous aurez votre maison à Jerez.

— Je ne veux pas vivre à Jerez, je veux habiter Madrid. Esteban n'a qu'à prendre un travail en ville. Alvarez lui offre la direction des exportations. Je ne me marierai avec lui que s'il prend ce poste. Vous n'avez pas l'air d'accord ?

— Ni d'accord ni pas d'accord. C'est vous que ce choix regarde, mais, Pepita, dites-moi, est-il possible d'aimer sous condition ?

Les deux femmes, très occupées ce jour-là, ne reparlèrent plus d'Esteban. En plus de ses devoirs courants, Isabel dut lire un interminable rapport financier de la coopérative vinicole de Valdepenas qu'elle avait reçu pendant son absence. Tout en travaillant, elle pensait à Pepita.

Se pouvait-il que l'amour de sa secrétaire pour Esteban fût sincère ? Ils étaient si différents ! L'Espagnol était grand et blond. Avec son front haut, ses yeux gris et son nez aristocratique, il avait un authentique air de noblesse. Tandis que Pepita, avec sa belle poitrine, sa taille fine, ses hanches épanouies, sa petite stature et ses jambes nerveuses, ressemblait à une Gitane et attirait les hommages masculins en même temps que la haine des autres femmes. Isabel l'avait choisie parmi six candidates, malgré la désapprobation de plusieurs employées de l'entreprise. Pepita lui plaisait parce qu'elle était vivante et gaie. Pas étonnant qu'Esteban soit tombé amoureux d'elle.

Le jeudi matin, Alejandro téléphona du domaine.

— Quand partez-vous pour Jerez ?

— Lundi.

— En voiture ?

— Oui.

— Je préférerais que vous changiez vos plans. La route est longue et encombrée de Madrid à Jerez. J'ai retenu vos billets d'avion pour vous et la *señorita* Rodriguez. Esteban ira vous chercher à l'aéroport de Cadix et vous conduira chez moi.

— Eh bien ! dites-donc...

L'étonnement ne lui permit pas d'en exprimer davantage.

— Laissez-moi décider, pour une fois. Esteban meurt d'envie de retrouver Pepita. Nous passerons le week-end tous les quatre. Nous avons organisé une *tienta* pour dimanche. Savez-vous ce que c'est ?

— Non, mais...

— Alors, entendu. Votre avion décolle à sept heures quarante-cinq, samedi matin.

— Alejandro, je...

— A bientôt !

Il avait raccroché.

Isabel eut l'impression que Pepita était plus heureuse à l'idée de faire la connaissance d'Alejandro qu'à celle de passer quelques jours avec Esteban. Elle se trompait ; quand leur avion se fut immobilisé devant les bâtiments de l'aéroport de Cadix, sa secrétaire fut la première passagère à dégringoler les marches de la passerelle pour traverser en courant l'aire de débarquement et se jeter dans les bras d'Esteban. Il répondit à son étreinte et salua Isabel.

— Vous avez fait bon voyage ?

— Excellent. Le domaine est loin?

— Soixante-cinq kilomètres de Cadix, trente-deux de Jerez. Vous ferez la navette en voiture la semaine prochaine.

— Je vais donc habiter au domaine, que je le veuille ou non?

— Vous en aurez envie, j'en suis sûr. D'ailleurs, Alec a tout prévu. Vous savez, ajouta-t-il avec un clin d'œil, jamais je n'aurais cru que les choses tourneraient ainsi entre vous...

— Que voulez-vous dire? demanda Isabel en ouvrant de grands yeux innocents.

Esteban éclata de rire et, suivi des deux femmes, se dirigea vers la réception des bagages.

Le domaine de *La Esperanza* était situé en bordure du Guadalquivir, à quelques kilomètres d'une petite ville du nom de Lebrija. Ils traversèrent des paysages vallonnés et luxuriants. Les branches des saules traînaient dans l'eau claire, des grappes de raisin alourdissaient les ceps et les prairies étaient couvertes de marguerites. Au loin, ils aperçurent des taureaux et Esteban ralentit.

— Ciel! dit Pepita, le domaine est immense!

— Oui, Alejandro est fier de son élevage. Pour le moment, il ne lui consacre que peu de temps, mais quand il prendra sa retraite...

— Où est la maison? demanda Pepita.

— Un peu plus loin. Nous allons bientôt la voir.

Peu après, un tournant de la route révéla la maison, toute blanche avec un toit de tuile rouge, qui se détachait sur les collines avoisinantes. Ils aperçurent peu à peu les arches gracieuses du perron, les bougainvillées, la vigne vierge qui garnissait tout un mur.

— Alejandro l'a acheté il y a cinq ans, dit Esteban en donnant un léger coup d'avertisseur.

Ils entendirent une exclamation et virent Alejandro surgir en courant des arcades.

— Holà ! cria-t-il, vous voilà enfin !

Isabel avait oublié combien il était beau. Arrogant, oui, autoritaire en diable, mais encore le plus séduisant et le plus viril des hommes ! Il portait avec naturel un jean ajusté et une chemise bleue ouverte jusqu'à la taille. Un jeune garçon efflanqué le suivait. Pepita sortit précipitamment de la voiture. Alejandro lui sourit aimablement.

— Esteban m'avait parlé de vous, *señorita*, mais vous êtes deux fois plus jolie qu'il le dit. Bienvenue à *La Esperanza*.

Quand Isabel sortit à son tour, il se pencha pour l'embrasser sur les lèvres.

— Bienvenue dans votre maison, murmura-t-il.

En l'entendant, le jeune garçon qui attendait en retrait fronça les sourcils et détourna les yeux. Alejandro le fit avancer.

— Juan, voici la *señorita* Rodriguez. Et la *señorita* Newman qui vient des Etats-Unis.

Le garçon serra rapidement les mains tendues.

— Comment allez-vous ? dit-il poliment.

— Juan est mon neveu et homme de confiance, dit Alejandro. Je ne sais pas ce que je deviendrais sans lui. Il a organisé la *tienta* presque tout seul.

Le garçon réprima un sourire de fierté.

— C'est magnifique, dit Pepita, vous êtes si jeune !

— J'ai quatorze ans.

— Ah ! dit-elle en se reprenant, j'ai dit « jeune » par comparaison avec vos oncles ! Et vous toréez déjà ! Dans quelques années, toutes les femmes seront à vos pieds !

Juan rougit et se mordit la lèvre.

— Laissez-moi porter vos bagages, dit-il.

— Merci. Pouvez-vous me montrer ma chambre ? J'aimerais me rafraîchir un peu.

Elle lança aux autres un salut joyeux et suivit l'adolescent. La voix d'Alejandro les fit sursauter.

— Juan ! Tu pourrais prendre aussi le sac de Mlle Newman !

— Bien sûr, oncle Alec.

Avec une légère inclination dans la direction d'Isabel, il murmura :

— Par ici, s'il vous plaît.

Les deux femmes traversèrent un patio ombragé, orné de magnifiques plantes vertes et d'une fontaine centrale. Par les baies cintrées qui l'entouraient, Isabel aperçut un immense salon et une salle à manger. Au bout du patio, une double volée d'escalier conduisait au premier étage. Juan longea le couloir, s'arrêta devant une porte et posa les deux sacs par terre.

— Votre chambre, *señorita* Rodriguez.

— Appelez-moi Pepita, ou je vais croire que vous m'en voulez !

— Bien, répondit Juan.

— Alors, dites-le, insista Pepita en soulevant son sac.

— Pepita, murmura-t-il en rougissant.

— Très bien ! Merci, Juan, à tout à l'heure.

Puis elle se tourna vers Isabel :

— Vous viendrez taper à ma porte quand vous serez prête ?

Elle acquiesça et suivit Juan qui, l'air renfrogné maintenant, repartait le long du corridor. Il la laissa devant une porte fermée et Isabel eut beau le remercier chaleureusement, elle ne parvint pas à lui arracher un sourire.

Quand elle entra dans la pièce, elle poussa un cri de plaisir : c'était une vaste chambre, inondée de soleil où tout le mobilier était rose : le tapis épais, la chaise longue, les fauteuils, les doubles rideaux de brocart, le dessus-de-lit... et l'énorme gerbe de roses qui l'attendait sur la table. Tout était neuf. Personne n'avait encore foulé la laine profonde du tapis. Alejandro avait-il redécoré la pièce dans sa couleur préférée, pour elle ?

— Elle vous plaît ?

Isabel tourna la tête : Alejandro était sur le seuil.

— C'est fabuleux, dit-elle.

— C'est votre chambre, Isabel.

Il lui ôta son chapeau des mains et le jeta sur le lit. Puis il l'enlaça et posa ses lèvres dans les cheveux roux. Un oiseau chantait dans le jardin. Leurs bouches se cherchèrent. Comme il sait m'accueillir, se disait Isabel. Cette chambre, pour moi seule, cette étreinte chaleureuse et tendre, ce baiser merveilleux... Elle comprit soudain qu'elle l'aimait, qu'elle l'aimait depuis le début. Elle se cacha le visage contre sa poitrine.

— Qu'avez-vous ? demanda le torero en reculant pour la tenir à bout de bras.

Elle secoua la tête sans répondre. Il lui embrassa alors les yeux, le nez, les lèvres, et ne la lâcha que pour sortir de sa poche un paquet qu'il lui tendit. Isabel dénoua le ruban rose et ouvrit l'écrin. A l'intérieur, enveloppé dans du papier de soie, se trouvait un petit taureau en or.

— Pour votre bracelet.

Elle rougit. Alejandro éclata de rire et lui embrassa le bout du nez.

— Vous êtes merveilleuse, mon amour.

On frappa. Une voix féminine annonça :

— C'est moi, Luisa. Je viens aider la *señorita* à défaire ses bagages.

— Entre, Luisa, dit Alejandro.

Puis il s'adressa à Isabel :

— Je vous attends en bas pour prendre un café et ensuite je vous ferai visiter le domaine.

Isabel se rafraîchit dans la salle de bains, changea sa tenue de voyage pour un jean et une chemise jaune. Debout devant la glace, elle se sourit : je l'aime, pensait-elle, je l'aime et je suis heureuse. Quoi que me réserve l'avenir, je garderai toujours comme un trésor le bonheur de cette découverte.

Chapitre 8

— J'ai quelque chose à vous apprendre, annonça Esteban ce soir-là. J'ai décidé de laisser tomber mon travail à Jerez.

Ils étaient tous à table et finissaient de dîner.

— Quitter Jerez ? Mais pourquoi ? Je croyais que vous vous y plaisiez, répliqua Isabel.

— C'est vrai, mais j'ai décidé de m'installer à Madrid. Je prends la direction des exportations et la vice-présidence de l'entreprise. Alvarez me les propose.

— Oh ! Mon chéri ! s'exclama Pepita, je suis si contente !

Esteban saisit la main de sa voisine et recula sa chaise :

— J'ai quelque chose à te dire en particulier. Viens. Excusez-nous, dit-il à la cantonade.

— Que se passe-t-il ?

Alejandro paraissait interloqué.

— Il va la demander en mariage et elle va accepter, lui expliqua Isabel en souriant.

— Esteban, se marier ! Jamais je n'aurais cru... Seigneur, j'espère qu'il a bien réfléchi !

Prise d'une furieuse envie de l'insulter, Isabel le regarda fixement. Ceux qui s'aiment trouvent normal de se marier, pensait-elle. Il est naturel d'avoir envie de former un couple durable. Même pour elle, qui se considérait comme une femme moderne, l'amour et le mariage restaient inextricablement liés.

Ce soir-là, elle attendit longtemps sur le balcon, mais Alejandro ne vint pas la rejoindre.

Le lendemain matin, les invités à la *tienta* commencèrent à arriver dès sept heures et, quand Isabel descendit prendre son petit déjeuner, il y avait déjà une quinzaine de personnes rassemblées dans la salle à manger. Esteban, suivi par une Pepita rayonnante, fit signe à Isabel d'approcher et la présenta à la ronde.

— Alec et Juan sont déjà dans l'arène, dit-il. Nous les rejoindrons dès que vous aurez déjeuné. Carlos est arrivé tard cette nuit.

Pour restaurer les invités d'Alejandro, dont certains avaient fait plusieurs heures de route, la cuisinière avait préparé un abondant petit déjeuner. Au café et aux petits pains qu'elle servait d'ordinaire, elle avait ajouté des omelettes aux pommes de terre que les Espagnols appellent *tortillas*, des saucisses, des tartines grillées, du pain frais et une salade de fruits.

Lorsqu'ils arrivèrent tous trois à l'arène de *tienta*, la plupart des invités étaient installés, assis, ou derrière la barrière. Isabel préféra rester debout.

Alejandro, ce matin-là, portait le *traje corto* d'usage — culotte noire à taille haute, très ajustée, boléro noir et chemise blanche à col ouvert, sans cravate. Son visage tendu, exprimait une intense concentration et Isabel comprit avec étonnement qu'une *tienta* n'est ni une plaisanterie ni un jeu.

— Esteban, dit-elle, expliquez-moi un peu...

— Volontiers. D'abord *tienta* signifie épreuve, essai, et cette arène lui est spécialement destinée, bien qu'Alejandro s'en serve également pour s'entraîner. Lors de la *tienta*, nous sélectionnons nos femelles de deux ans pour la reproduction. Une bonne vachette aura plus tard des taureaux de qualité. C'est important pour la réputation d'un élevage.

« Toutes les observations que nous allons faire aujourd'hui seront notées : le caractère de la vachette, combien de fois elle va charger l'homme monté sur son cheval, comment elle va réagir aux piques, aux passes des toreros. Tout cela doit évidemment rester secret et un propriétaire trie sur le volet les spectateurs de ses *tientas*. Chaque vachette reçoit une note. Il y a six notes : supérieure, très bonne, bonne, passable, pas assez bonne, mauvaise. Seules les vachettes qui ont obtenu les quatre premières notes sont conservées pour la reproduction.

A ce moment, Alejandro cria :

— Silence !

Et le portail s'ouvrit. Une vachette débaula dans l'arène, aperçut le cheval, chargea, essaya de désarçonner le cavalier, qui la piqua avec son fer. Tout cela en quelques secondes.

— Superbe, dit Esteban.

Malgré la douleur, la vachette recula et chargea de nouveau, jusqu'à ce qu'Alejandro détourne son attention en criant derrière elle d'une voix nasale :

— Ahaa !

Il avait la *muleta* à la main et enchaîna passe sur passe. L'assemblée gardait un profond silence. On n'entendait que le martèlement sourd des sabots et les « ahaa » du matador.

— Vous voyez comme Alec est bon ? chuchota une voix dans le dos d'Isabel.

La jeune femme tourna la tête et reconnut Manzanares, l'imprésario. Il l'observait avec intensité.

— Vous rendez-vous compte qu'un torero comme Alejandro, il y en a peut-être deux par génération ?

— Il me paraît excellent, c'est vrai, répliqua-t-elle.

— A un tel niveau de perfection, ce métier demande qu'on s'y consacre totalement.

— Comme la plupart des métiers.

— *Señorita !* Quand je dis totalement, c'est totalement ! Un matador est aussi différent des autres hommes qu'une danseuse étoile diffère des autres femmes. Je sais que vous avez du mal à le comprendre. Les Anglo-Saxons ne sentent pas ces choses-là comme nous.

Les mains d'Isabel se crispèrent sur le bois de la barrière.

— Je comprends peut-être mieux que vous le croyez. D'ailleurs, pourquoi me dites-vous cela ? Pourquoi ne m'aimez-vous pas ?

— Moi, ne pas vous aimer ? Mais, ma chère mademoiselle, je vous connais à peine !

Et vous ne tenez pas à mieux me connaître, pensait Isabel en le regardant avec défi. Manzanares détourna les yeux, marmonna une excuse de pure forme et s'éloigna.

La vachette suivante fut « travaillée » par un jeune torero de Valence, puis Esteban sauta dans l'arène. Il réussit quelques belles passes avant d'être accroché et jeté à terre. Alejandro détourna l'attention de la vachette en agitant sa cape tandis qu'Esteban se relevait en riant, le visage empourpré.

Ensuite, ce fut le tour de Juan, habillé exactement comme son oncle. Avec un visage tendu et grave qui n'avait plus rien d'enfantin, il appela la vachette et effectua quelques passes. Isabel lisait, tour à tour, sur le visage d'Alejandro, debout près d'elle, l'orgueil et l'anxiété.

— Il est bon, n'est-ce pas ? glissa-t-il à Esteban. Tu as vu comment il se tient ? Regarde comme il est ferme sur ses pieds. Il deviendra un crack !

— Oui, mais je n'aime pas du tout cette vachette, Alec !

— Moi non plus. Je vais prendre sa place, Juan travaillera la suivante. Celle-ci est trop hargneuse.

Le garçon refusa cependant avec entêtement de céder la place à son oncle. Les invités se taisaient. Isabel regardait Alejandro qui, le visage pâle et figé, se tenait prêt à bondir dans l'arène. Tout à coup, quelqu'un poussa un juron.

— Que se passe-t-il, demanda Isabel. Il y a un risque ?

— Evidemment. C'est une vachette comme celle-là qui a décousu le plus gravement le grand Belmonte.

La vachette, attirée par Juan, touchait presque le jeune garçon. Et soudain, d'un coup de tête, elle le bouscula, l'accrocha avec une corne, le souleva et le projeta à terre. Les invités poussèrent un cri, Esteban et Alejandro sautèrent dans l'arène, suivis par Carlos et le torero de Valence.

— Ça va ! hurlait Juan qui gigotait dans les bras de son oncle. Je te dis que ça va ! Laisse-moi !

Il était blessé au bras. Alejandro, sans tenir compte de ses protestations, l'emporta dans la prairie et l'allongea sur l'herbe.

— Oncle Alec, ça va. C'est ma vachette, je veux continuer.

— Fini pour aujourd'hui ! Esteban va te ramener à la maison et appeler le docteur.

— Après ! Je veux continuer, je rentrerai à la maison après... Ce n'est rien ! C'est juste...

Alejandro coupa court.

— Ça suffit, dit-il. Esteban, tu appelles le Dr Larañaga. Et toi, Juan, tu obéis au docteur, c'est compris ?

Son neveu lança à Alejandro un long regard de reproche. Si semblables, pensait Isabel qui les observait, si arrogants, si entêtés tous les deux ! Mais, pour le moment, l'oncle commandait et le neveu ne cachait pas qu'il avait horreur de ça.

Une fois le travail sérieux terminé, on permit aux invités d'essayer leur adresse. Malgré les protestations d'Esteban, Pepita prit la *muleta* et sauta dans l'arène en brandissant le tissu rouge. Ses yeux brillaient, ses cheveux noirs dansaient sur ses épaules. Encadrée par Alejandro et un assistant, elle avançait rapidement, ravissante dans son pantalon blanc et son chemisier rouge. Elle appela la vachette et, lorsque celle-ci chargea, elle l'évita d'un souple balancement des hanches.

Esteban paraissait affreusement malheureux. Il ne cessait de grommeler : « Attention, attention ! » Isabel fut effrayée de lire dans ses yeux une adoration insensée. Comme on est vulnérable, quand on aime, se dit-elle avec chagrin.

Pour la soirée, une demi-douzaine de tables avaient été dressées dans le patio, autour de la fontaine. Les invités, que cette journée passée au soleil ne semblait pas avoir fatigués, bavardaient avec animation, à la lueur des candélabres fixés aux murs et des chandelles qui flottaient à la surface des coupes garnies de gardénias posées au centre de chacune des tables.

Isabel, qui ne savait trop comment s'habiller

pour une telle réception, avait mis la plus simple des toilettes du soir qu'elle avait apportées : une robe de soie turquoise, sans épaulettes, garnie de la taille aux pieds d'une cascade de volants de chiffon de soie un peu plus clairs. Elle avait relevé ses cheveux en laissant des mèches retomber en boucles sur ses oreilles et sur sa nuque. Pour tout bijou, elle portait le bracelet offert par Alejandro. Lorsqu'elle parut en haut de l'escalier, il vint au-devant d'elle en souriant.

— Ce n'est pas permis d'être aussi belle, murmura-t-il.

Isabel lui pressa doucement la main pour le remercier du compliment.

— Comment va Juan ? dit-elle en croisant le regard glacial de Carlos Manzanares.

— Très bien. Le docteur lui a mis des agrafes et lui a fait une piqûre antitétanique. Maintenant, il berce son orgueil blessé. Il boude. Il est furieux de ne pas être avec nous.

— Pauvre gosse.

— Ce n'est pas un gosse, c'est presque un homme. Il veut être matador, ne l'oubliez pas.

— Ne faites pas le malin, dit-elle d'un ton enjoué, j'ai vu votre visage, ce matin, pendant qu'il était dans l'arène : vous étiez terrifié !

— Moi, terrifié ! Jamais ! Sauf par vous !

— Ne me parlez pas ainsi ou je vous bats !

— Maîtrisez-vous ! Je ne voudrais pas vous ridiculiser devant tout le monde.

— Odieux personnage !

— Ma belle Américaine...

Une servante passait, présentant un plateau chargé de flûtes de champagne. Alejandro en tendit une à sa compagne puis la conduisit vers un groupe d'amis en la tenant par la taille. Esteban et Pepita vinrent se joindre à eux. Pepita, en fourreau de jersey blanc, déroba un gardénia dans une coupe et le fixa derrière son oreille.

Le champagne coulait à flots, les conversations s'animaient.

— La cuisinière vient de m'avertir que, si nous ne passons pas à table, son dîner sera raté, déclara Alejandro. On y va ?

— Un instant, Alec, dit alors Esteban. J'ai quelque chose à dire avant. Je... Nous...

Pepita lui coupa la parole.

— Nous sommes fiancés, voilà, lança-t-elle.

— Champagne ! s'écria Alejandro en donnant une grande tape dans le dos de son cousin. Tant pis pour le dîner !

Il embrassa Pepita sur la joue.

— Esteban a bien de la chance, ajouta-t-il avec gravité.

Isabel à son tour embrassa son amie et félicita Esteban. Puis tout le monde leva son verre à la santé des fiancés, une première fois, puis un nombre incalculable de fois. On ne passa à table que bien après dix heures. Quand les invités qui rentraient à Séville prirent la route, minuit était passé depuis longtemps. Seul Carlos Manzanares dormait au domaine.

Brusquement, le patio retrouva son calme. Un des guitaristes était resté et jouait doucement, comme pour lui seul, de la musique classique. Carlos et Alejandro bavardaient tandis qu'Isabel, Esteban et Pepita gardaient un silence paisible.

Esteban dit tout à coup :

— Il y a longtemps que nous serions mariés si Pepita n'avait pas été si difficile à convaincre.

— Menteur ! C'était toi l'entêté. J'ai cru que jamais tu ne te déciderais. Tu verras comme nous

94

serons bien à Madrid. Nous allons prendre un appartement sur la Gran Via et...

— Dans le centre? Je pensais que nous habiterions un quartier plus calme.

— Non, j'aime la ville et c'est là que je veux habiter.

Esteban sourit et adressa un signe de connivence à Isabel.

— Qu'y puis-je? Cette jeune femme me ferait passer par un trou de serrure.

C'est évident, pensa Isabel qui, sans répondre, repoussa sa chaise.

— Je crois que je vais vous dire bonsoir, dit-elle en étouffant un bâillement. J'aimerais bien partir pour Jerez demain matin de bonne heure.

— D'accord. Dormez bien.

— Vous aussi. Bonsoir, Pepita, je vous souhaite tous les bonheurs!

Elle salua d'un geste Alejandro et Carlos Manzanares toujours plongés dans leur conversation et monta lentement l'escalier. Elle se sentait désappointée sans raison précise. Sa déception de la veille, alors qu'elle avait attendu en vain Alejandro dans la chambre rose, lui restait sur le cœur. Voulait-il lui faire comprendre qu'il était consterné par la nouvelle du mariage d'Esteban? Ou tenait-il à se reposer la nuit précédant le combat? D'ailleurs, il ne lui avait pas adressé dix phrases de la journée et, pendant la soirée, il avait passé plus de temps avec Manzanares qu'avec elle.

Elle poussa un soupir. En croisant Luisa dans le couloir, une idée lui vint.

— Où est Juan? demanda-t-elle.

— Dans la chambre au bout du couloir, *señorita*.

— Il a mangé?

— Il n'a rien voulu prendre depuis midi.

— Allons voir à la cuisine si je peux trouver quelque chose à lui apporter.

Luisa l'aida à réchauffer une assiette de paella et à préparer un bol de salade de fruits. Isabel posa encore sur le plateau trois tartelettes aux fraises et un verre de lait. Elle monta le tout au premier et frappa chez le garçon.

— Qui est-ce ?

— Isabel Newman.

— Je dors, répliqua Juan après un bref silence.

Isabel sourit et ouvrit la porte.

— Vous dormez toujours la lumière allumée ? dit-elle.

Juan se renfrogna et s'enfonça sous les draps.

— Vous ressemblez à votre oncle Alec quand vous faites cette tête-là. J'ai pensé que vous aviez faim.

— Non.

— Vous êtes fâché, alors ?

Il la regarda s'approcher.

— Asseyez-vous convenablement. Voilà !

Elle lui posa le plateau sur les genoux et vit les narines de l'adolescent palpiter à l'odeur de la paella.

— Je vous préviens, je resterai tant que vous n'aurez pas mangé.

— Alors il faut que je me dépêche.

— C'est ça. Comment va votre bras ?

— Très bien.

— Vous savez, je trouve que vous avez été formidable ce matin.

Juan haussa les sourcils comme s'il n'accordait pas une grande valeur à son opinion.

— Alejandro le pense aussi.

Le jeune visage s'éclaira.

— Vrai ?

96

— Vrai.

Sans un mot, il se jeta sur la paella et la salade de fruits. Quand il eut vidé les deux plats, il demanda :

— La réception dure encore ?

— Non. Les invités sont partis, mais les autres sont encore en bas.

— Et vous ? Je croyais que vous étiez folle de mon oncle ?

— Je suis folle de lui, confirma Isabel avec calme, mais j'étais fatiguée et j'avais envie de vous voir.

Elle mordit dans une tartelette.

— Hum, délicieux, vous devriez les goûter.

— Où avez-vous connu oncle Alec ?

— Je travaille avec Esteban. C'est lui qui nous a présentés.

— Vous travaillez ?

— Hé oui... Dites, les deux tartelettes sont pour vous... J'ai l'impression que je me suis mis de la fraise sur le menton.

— Votre menton est très bien.

— Merci.

Lorsque Juan eut avalé les gâteaux et le lait, Isabel se leva.

— Vous voulez une pilule pour dormir, Juan ?

Il fit non de la tête et se blottit sous ses draps.

— *Señorita* Newman ? dit-il à mi-voix.

— Je m'appelle Isabel.

— Isabel... euh... merci pour le dîner.

— Il n'y a pas de quoi.

— Je vous verrai demain ?

— Je passe la journée à Jerez avec Esteban mais nous serons de retour dans l'après-midi. Vous voulez que je vous rapporte quelque chose ?

— Non, merci.

— Alors, bonsoir.

— Bonsoir, Isabel.

Une fois dans sa chambre, la jeune femme prit une douche et se prépara pour la nuit. Elle se sentait mieux. La visite qu'elle avait faite à Juan était une bonne idée. Avoir quatorze ans n'est pas toujours drôle, surtout si on est orphelin.

Quand elle ouvrit le tiroir de la commode pour prendre sa chemise de nuit, elle trouva sur le dessus un paquet enveloppé de papier de soie, qui découvrit la plus jolie chemise de nuit qu'elle eût jamais vue. Les flots de mousseline glissèrent sur son corps comme une caresse. Le vêtement lui allait à la perfection et laissait deviner son corps à travers un brouillard rose.

Isabel brossa ses cheveux qui ondulèrent joliment dans la lumière de la lune et se parfuma légèrement les épaules en souriant à l'idée qu'Alejandro adorait son eau de toilette. Puis elle éteignit la lumière et se glissa dans son lit. La chambre était embaumée par l'odeur des roses. Tout à coup, elle entendit des bruits de pas et vit une ombre pousser la porte-fenêtre entrouverte.

— Isabel, murmura Alejandro en venant s'asseoir sur le bord du lit, j'avais hâte de vous voir. Je ne vous réveille pas ?

— Non, pas du tout.

— Je viens d'aller voir Juan. C'est gentil de lui avoir monté à manger.

— Il était très malheureux... Vous pensez vraiment faire de lui un matador ?

— J'ai bien peur que oui.

— Pourquoi « j'ai bien peur » ?

— Parce qu'on a toujours peur pour ceux qu'on aime... Carlos pense que je suis en train de tomber amoureux de vous, reprit-il en caressant les cheveux roux.

Isabel sentit sa gorge se serrer et ne répondit rien.

— Il se trompe, naturellement, enchaîna Alejandro. Je ne suis pas en train de tomber amoureux, il y a longtemps que c'est fait.

— Et une partie de vous le refuse, compléta Isabel. Je sais que vous préféreriez aimer une dame espagnole qui vous attendrait bien sagement dans les coulisses sans jamais menacer de vous tuer si vous osiez regarder une autre femme... Pauvre Alejandro ! Tomber amoureux d'une terrible Américaine !

Elle lui tapota la joue du bout des doigts. Mi-riant, mi-furieux, Alejandro se jeta sur elle et l'enlaça avec une sauvagerie qui l'effraya un peu avant de la faire trembler de désir. Elle essaya de plaisanter.

— Vous allez froisser le beau cadeau que vous m'avez offert !

— Ah ! la chemise de nuit, c'est vrai, je n'y pensais plus. Elle vous va bien ?

— Regardez vous-même, dit-elle en allumant la lampe de chevet. Merci, Alejandro, c'est la plus jolie chose que j'aie jamais eue.

— Alors enlevez-la vite sinon vous l'abîmerez.

Isabel tressaillit et prit la mousseline à pleines mains.

— Non, dit-il, levez-vous, j'ai envie de vous voir.

Le cœur battant, elle se glissa hors du lit, resta un instant immobile puis fit lentement glisser la chemise par-dessus sa tête et la lança sur le lit.

— Sur la chaise longue, dit Alejandro.

— Comment ?

— Allez sur la chaise longue, je vous en prie.

Elle traversa la chambre et s'allongea sur la chaise tapissée de velours rose. Alejandro éteignit la lampe et Isabel le vit se déshabiller à la lumière de la lune, puis s'approcher d'elle et tendre la main vers ses cheveux.

— Mon adorable compagne...

Il promena lentement les doigts sur son visage comme s'il voulait en inscrire chaque détail dans sa mémoire puis il effleura ses épaules, dessina sur ses seins ronds et sur tout son corps des arabesques savantes qui embrasaient les sens de la jeune femme. Elle avait l'impression que les doigts qui couraient sur ses hanches, sur la chair tendre de ses cuisses, étaient des doigts de feu. Ils descendirent au creux de ses genoux, remontèrent doucement vers son ventre. La jeune femme sursauta, comme électrisée.

— Ne bougez pas, restez immobile.

Alejandro l'embrassa longuement, profondément. Enfin, il s'écarta d'elle, l'appuya contre le dossier de velours et reprit sa lente approche amoureuse.

Quand il s'allongea sur elle, Isabel, submergée par les vagues déferlantes du plaisir, se mit à gémir doucement.

— Dites-moi... dites-moi, demanda Alejandro.

— Je vous aime, souffla-t-elle, tout contre ses lèvres. Je vous aime, Alejandro, je vous aime.

Elle éprouva alors une joie immense. Cette nuit-là fut une nuit de bonheur parfait.

Chapitre 9

Comme on s'adapte vite, se disait Isabel avec étonnement. Malgré le caractère insolite de *La Esperanza*, elle avait l'impression d'y avoir toujours vécu, de n'avoir jamais été réveillée autrement que par le soleil, les oiseaux perchés sur les poivriers et le gazouillis de la fontaine.

Chaque matin, allongée sur une chaise longue, alanguie par cette délicieuse lassitude que laisse une nuit d'amour, elle buvait le café servi par Luisa et se répétait qu'elle n'avait jamais été aussi heureuse.

Elle allait tous les jours à la coopérative de Jerez avec Esteban. En rentrant, tard dans l'après-midi, ils trouvaient Alejandro et Juan qui les attendaient en bavardant dans le patio. Carlos les accompagnait parfois. Alejandro, complètement remis de son accident, s'entraînait avec régularité. Il courait trois kilomètres le matin en respectant un programme complexe qui combinait la marche, les pointes de vitesse, les zigzags, les sauts de côté et les bonds en arrière. Il travaillait de longues heures devant un étrange appareil fait d'une paire de cornes montée sur une roue de bicyclette qu'un aide déplaçait au moyen de deux bras de brouette. Il lançait aussi des banderilles dans un morceau de liège conçu à cet effet.

Juan s'entraînait avec lui, et Alejandro en était visiblement ravi, bien qu'il n'en livrât rien. Ils se comportaient tous deux en père et en fils, constatait Isabel. A certaines intonations, Alejandro trahissait sa fierté quand il parlait des progrès de son neveu, son visage exprimait aussi la peur quand il regardait travailler l'adolescent.

Juan, qui avait oublié son premier mouvement de jalousie, considérait maintenant Isabel comme une sœur aînée. Ils se tutoyaient, bavardaient longuement, plaisantaient beaucoup ensemble et devenaient la cible des moqueries d'Alejandro :

— Je me demande lequel de vous deux en est encore à l'adolescence !

Quand Carlos était là, ils dînaient dans le patio et restaient à siroter le café parfumé à la cannelle en regardant tomber la nuit et s'allumer les étoiles. Alejandro ne pouvait manquer de remarquer que Carlos n'adressait la parole qu'aux hommes de l'assemblée mais il ne disait rien. Isabel non plus. Elle ne manquait pas de percevoir l'animosité de l'imprésario. Mais que pouvait-elle y faire ?

Tous les soirs, traversant la maison endormie, Alejandro venait la rejoindre. Il ne lui avait pas répété qu'il l'aimait et, malgré son désir de l'entendre, Isabel ne lui posait pas la question. Il y a des gens qui ont du mal à prononcer les mots d'amour...

En fin de semaine, ils se rendirent tous à Valence pour la corrida du lendemain et dînèrent dans un restaurant qui avait une baie ouvrant sur la mer. A la fin du repas, Carlos, en jetant un œil noir sur Isabel, remarqua :

— Alec, tu ne t'es pas assez reposé cette semaine. Ce soir, couche-toi de bonne heure.

Alejandro réprima son agacement et répondit avec calme :

— C'est possible, Carlos, j'ai eu tant de choses à faire au domaine. Je suis un peu fatigué, c'est vrai. Nous irons tous nous coucher tôt.

— Tu pourras voir... Isabel l'après-midi après la corrida.

Il avait un peu hésité avant de prononcer le prénom. Tout le monde l'avait remarqué, mais personne ne le releva.

Le lendemain après-midi, Isabel et Esteban, installés à leurs places, attendaient le début du spectacle. Juan était parti chercher un programme.

— Carlos vous a parlé ? interrogea Esteban.

Isabel acquiesça.

— Oui, le jour de la *tienta*. Il m'a demandé si je me rendais compte des qualités professionnelles d'Alejandro et de la nécessité pour lui de se consacrer pleinement à son métier. Il ne m'aime pas, je ne sais pas pourquoi.

— Moi je sais. Il assiste Alec depuis le début et voit en lui le fils qu'il n'a jamais eu et le matador qu'il aurait voulu être. Alec est une star, un torero parfait. C'est bizarre, Carlos n'avait jamais fait d'histoires pour les femmes qui...

Il s'interrompit.

— Allez-y, continuez, dit Isabel.

— Eh bien ! Carlos n'a jamais fait d'histoires pour les femmes qui entouraient Alejandro ni même pour les liaisons qu'il a eues. Je crois qu'il sent que la situation est différente et que ce qui se passe entre Alec et vous est sérieux. Carlos a peur de vous.

— Pourquoi ?

— Vous pourriez...

— Je ne comprends pas.

— Vous pourriez le pousser à abandonner sa profession.

— Jamais je ne ferais ça !

— Ne dites jamais « jamais », ma chère. La plupart des femmes s'abstiennent d'aller voir toréer leur époux ou leur fils. Elles passent tout le temps de la corrida à genoux dans une église, mortes de peur.

— Jamais je ne me permettrai de me mêler de la carrière d'Alejandro !

— Je veux bien le croire, mais on ne sait jamais !

Juan revint s'asseoir. Peu après, l'orchestre attaqua le paso doble préféré des spectateurs, dont la partition avait été écrite au début du siècle par un musicien qui admirait tout particulièrement la corrida. Le portail s'ouvrit et les alguazils, vêtus de leur costume noir et coiffés de leur bicorne, entrèrent dans l'arène. Les matadors suivaient puis, les hommes à cheval, les palefreniers et les employés des arènes. Un attelage de mules aux harnais gaiement décorés fermait le cortège.

Le costume de lumière d'Alejandro était ce jour-là bleu et argent. Le matador salua d'abord le président, vêtu de noir, dans sa loge tout en haut des gradins, s'approcha ensuite des places occupées par Isabel, Esteban et Juan, posa sa cape de parade devant eux, leur sourit et se détourna pour mimer quelques passes.

Pendant ce temps, le président avait lancé la clé de l'arène à l'un des hommes préposés à son ouverture. Alejandro, attendait, les yeux fixés sur la porte, tenant à la main sa cape jaune et rouge.

— C'est oncle Alec qui commence, dit Juan, c'est lui le plus ancien dans le métier. D'ailleurs, tu as vu, pendant le défilé, il s'était placé le plus à gauche.

On entendit monter un martèlement de sabots. La foule gronda. Puis le taureau déboucha et Alejandro tomba à genoux :

— Ahaa ! *Toro !* cria-t-il.

L'animal se tourna vers lui et chargea, tête baissée. En suivant le mouvement de la cape, il frôla le visage du torero, s'arrêta brusquement, tournoya et chargea de nouveau. La foule poussa de longs cris de plaisir et d'effroi devant les prouesses d'Alejandro, qui virevoltait comme un elfe autour de la bête, multipliant les véroniques. La cape ondulait encore quand la musique éclata. Les applaudissements crépitèrent.

— Olé ! Matador, bravo !

Isabel, glacée, crut que son cœur allait s'arrêter de battre. Un sourire forcé aux lèvres, elle regardait sans la voir la minuscule silhouette danser sur le sable doré.

— Isabel ? Isabel, vous vous sentez bien ?

Esteban avait posé la main sur son bras. La jeune femme se tourna vers lui et articula avec peine :

— Mais oui, très bien.

Dans une vague brume elle vit les picadors entrer dans l'arène, évoluer, ressortir. La foule criait, demandait à Alejandro de planter lui-même ses banderilles. Le torero lança un coup d'œil vers Carlos et renvoya les *banderillos*. Posté au centre de l'arène, il se concentrait. Quand le taureau chargea, il fit un écart du pied droit, feinta, dévia sa course et planta la première paire de banderilles ornées de rubans colorés.

— Olé ! Bravo ! cria Juan qui s'était levé.

Le torero manœuvra de la même façon la seconde fois, mais une pique de la troisième paire se cassa en deux et il dut se dresser sur la pointe des pieds et se pencher dangereusement au-dessus des cornes pour les enfoncer au bon endroit.

Isabel, oppressée, ne regardait plus. La peur la paralysa jusqu'au moment où éclatèrent les acclamations de la foule. Elle se rendit alors aux toilettes. Là, enfermée dans le réduit obscur, elle laissa libre cours à son malaise.

Quand son estomac fut vide, elle sortit et accepta le linge mouillé que lui tendait la préposée. Effondrée contre un lavabo, encore secouée de nausées, elle se rafraîchit le visage.

— Asseyez-vous, *señorita*.

— Merci.

Cette voix rauque et éraillée, était-ce bien la sienne ? Etait-il concevable d'éprouver une pareille terreur sans en mourir ? Esteban lui avait bien dit que les épouses et les mères des matadors ne supportaient pas d'assister aux corridas. Que lui arrivait-il ? Elle avait pourtant déjà vu Alejandro toréer !

Isabel retoucha avec soin son maquillage avec du rouge à joues pour masquer son teint livide, puis elle regagna sa place. Après la corrida, elle félicita Alejandro, rit, plaisanta et but un peu trop de gin tonic. Carlos Manzanares l'observait. Pendant le dîner, elle soutint la conversation et fit rire Juan aux éclats en lui racontant quelques-unes de ses mésaventures survenues au début de son séjour en Espagne.

— Tu t'imagines, racontait-elle, j'ai confondu *despacio* et *delgado* ! Je suis allée acheter de la viande chez le boucher et j'ai demandé au pauvre homme de me couper ma viande non en tranches fines, *delgado*, mais lentement, *despacio*. En le regardant faire, je répétais avec force : « *Despacio, despacio !* » Le malheureux m'a prise pour une

106

folle. Je le vois encore passer et repasser son couteau lentement, lentement, en me regardant à la dérobée. Les autres clients de la boutique me regardaient d'un œil inquiet !

Isabel paraissait si gaie que personne, sauf peut-être Manzanares, ne remarqua qu'elle éparpillait la nourriture sur son assiette et ne mangeait rien.

Cette nuit-là, elle se donna à Alejandro avec une sorte de désespoir. Dans les ténèbres, cramponnée à son ami avec une énergie qu'il prit pour de la passion, elle resta longtemps éveillée, laissant des larmes amères ruisseler sur ses joues.

Le lendemain, Alejandro et Juan rentrèrent à *La Esperanza* et Isabel regagna Madrid en compagnie d'Esteban. Au bureau elle se mit au travail avec acharnement.

Les semaines qui suivirent passèrent très vite. Alejandro toréait presque tous les dimanches et, quand c'était possible, Isabel allait passer le week-end chez lui et assistait à la corrida. Le spectacle devenait une véritable torture.

De temps à autre, à Madrid, elle dînait avec Pepita et Esteban mais, sachant combien les amoureux sont gênés par la présence d'un tiers, elle refusait souvent leurs invitations.

Esteban paraissait s'adapter à la vie madrilène et à son nouveau poste. Seule Isabel ne s'habituait pas à lui voir porter le costume. Il arrivait tôt au bureau, partait tard, avait l'air harassé, sans doute parce qu'il assumait d'importantes responsabilités dans un domaine qui ne lui était pas familier.

Début septembre, Alejandro vint passer une semaine à Madrid. Il annonça à Isabel que Juan avait repris l'école dans une pension de Cadix.

— Il dit que les matadors n'ont pas besoin d'apprendre la géométrie. Il ne s'intéresse qu'à l'anglais : il veut vous épater par son savoir quand il vous reverra ; il a le béguin pour vous, vous savez !

— Moi aussi, je l'aime beaucoup.

Le lendemain de son arrivée, Alejandro invita Esteban et Pepita à dîner chez *Botin*. Quand il eut passé les commandes, il demanda :

— Quelle est la date du mariage ?

— Novembre, répondit Esteban. Tu seras mon garçon d'honneur. Isabel a accepté d'être le témoin de Pepita.

— Quand, en novembre ?

— Première ou deuxième semaine.

— Ah ! Heureusement. Carlos a déjà établi le planning de l'année et nous partons pour le Venezuela entre le 15 et le 20 novembre.

— Déjà ? L'an dernier le voyage ne s'est fait qu'en janvier.

— Je sais bien mais c'est Carlos qui en a décidé ainsi.

Et il veut que vous quittiez l'Espagne, pensait Isabel en baissant les yeux sur son assiette. Vous partez dans deux mois, vous le saviez depuis quelque temps et vous ne me l'avez pas appris...

Elle se sentit soudain à bout de forces. Ses oreilles bourdonnaient. Alejandro dut lui toucher le coude pour la sortir de sa léthargie.

— Vous avez déjà été en Amérique du Sud ?

— Pardon ?

— Je vous demandais si vous aviez déjà été en Amérique du Sud.

— Non, jamais.

— M'accompagnerez-vous ?

— Certainement pas.

— Pourquoi ?

— A cause de mon travail. Voyez-vous, ajouta-t-elle en se forçant à sourire, je peux prendre la route pour aller vous voir toréer à Avila, mais passer le week-end au Venezuela, c'est beaucoup plus difficile.

— Je ne parle pas des week-ends, dit-il en lui prenant la main.

Isabel se raidit. Il ne manquait plus que ça. Non seulement il ne la prévenait pas, mais il croyait qu'elle allait tout abandonner pour le suivre.

— A quoi pensez-vous ?

— Laissez tomber votre travail et venez vivre avec moi.

— Vous avez demandé son avis à Carlos ?

Les yeux d'Alejandro lancèrent un éclair de colère.

— Que voulez-vous insinuer ?

— Dites donc, vous deux, dit alors Esteban, si vous tenez absolument à vous disputer, Pepita et moi pouvons vous laisser.

Alejandro rougit.

— Nous ne nous disputons pas, nous... euh... nous discutons, simplement. Si nous buvions encore un verre ? Nous reprendrons notre conversation plus tard, Isabel et moi.

Chapitre 10

— Je ne comprends pas, insistait Alejandro. Pourquoi ne voulez-vous pas venir avec moi ?

— Parce que je travaille et que je n'ai pas l'intention de parcourir le monde en dépendant de votre bon plaisir. Et ne me racontez surtout pas comment se comporterait une Espagnole à ma place, je me mettrais en colère...

Face à face dans le salon d'Alejandro, ils se toisaient avec une fureur contenue.

Après avoir quitté Esteban et Pepita, Alejandro, sans lui demander son avis, avait poussé Isabel dans sa Mercedes, puis l'avait contrainte à venir chez lui : il exigeait maintenant des explications.

— Que signifie cette allusion à Carlos ? Je sais que vous ne l'aimez pas, mais...

— Que moi, je ne l'aime pas ! C'est un comble ! Il est grossier, désagréable, tout le monde a remarqué qu'il ne peut pas me souffrir. Je ne suis pas étonnée qu'il vous force à partir. Il veut vous arracher à mes serres.

— Vos serres ! Vous êtes complètement folle !

Il se passa la main dans les cheveux et reprit, modérant sa voix :

— Il y a longtemps que nous nous connaissons, Carlos et moi. J'avais douze ans quand mon père est mort. Carlos possédait le domaine voisin du nôtre et c'était le meilleur ami de mon père depuis vingt ans. Il m'a traité comme un fils, comme un ami. C'est vrai, il se montre parfois difficile, mais c'est parce qu'il prend mes intérêts à cœur.

— Et je ne fais pas partie de vos intérêts.

— Ne dites pas ça, Isabel. Je veux que vous m'accompagniez. Je croyais vous faire plaisir en vous le demandant.

— Je ne peux pas.

Elle leva la main pour l'empêcher de protester.

— Non, je vous en prie, écoutez-moi. Je vous aime et j'aime être avec vous mais je ne veux pas quitter mon travail et vivre à vos crochets. Je suis désolée, mais je vaux plus que ça !

— Très bien. Alors, grand Dieu, marions-nous !

Les yeux d'Isabel se remplirent de larmes.

— Quelle élégante façon de me demander en mariage !

— Oh ! Excusez-moi... Ne vous fâchez pas. Vous connaissez mes sentiments. Je vous aime. Je ne vous avais pas encore parlé de mariage car je m'étais promis de ne me remarier qu'après avoir cessé de toréer. Je n'ai pas eu de mal à tenir ma promesse jusqu'à présent car personne ne m'a donné envie de la rompre. Mais vous...

Il l'enlaça et enfouit son visage dans les cheveux flamboyants.

— Ce qui se passe entre nous est arrivé si vite...

— Oui, chuchota-t-elle.

— Que désirez-vous, mon amour ? Vous savez, il est difficile d'être l'épouse de quelqu'un comme moi. Que souhaitez-vous ? Vivre au domaine ou m'accompagner ?

— Je ne veux pas vivre à *La Esperanza* sans vous Alec. Si je travaille...

— Non, je ne vous le permettrai pas.

— Alejandro Cervantes ! N'employez plus jamais ce mot ! Si j'accepte de vous épouser, vous devez me traiter en égale.

— En égale ! Mais, Isabel, nous ne parlons pas métier ! Chez nous, l'homme est le chef de famille. Je vous traiterai avec respect, avec amour, mais...

Isabel s'empara de ses affaires et s'apprêta à partir.

— Vous êtes vraiment impossible ! Je ne peux pas vour épouser, nous ne parviendrions pas à nous entendre.

Alejandro la rattrapa, la prit par les épaules et la tourna contre lui. Isabel essaya de protester, mais il lui ferma la bouche d'un baiser, la souleva et l'emporta dans ses bras. Dans la chambre, il la posa sur le lit.

— Laissez-moi partir !

— Ecoutez-moi bien, lui dit-il en l'immobilisant sur le dessus-de-lit en fourrure, je n'accepterai jamais que vous partiez ainsi. S'il vous arrivait de vouloir fuir, je préférerais vous attacher sur le lit.

— Alejandro !

La voix du torero vibrait d'ardeur contenue.

— Isabel ! Vous allez m'épouser. Vous vous conduirez comme se conduisent les femmes espagnoles et vous viendrez avec moi en Amérique du Sud.

— Non !

Elle essaya de le gifler, mais il lui attrapa la main au vol.

— Ne faites plus ce geste, vous le regretteriez...

Avec un effort visible pour se contrôler, il reprit :

— Je ne sais pas comment me comporter avec vous, vous êtes si différente des autres. Je dois parfois me retenir pour ne pas vous battre... mais la plupart du temps, je n'ai envie que de vous aimer.

Isabel sentit fondre sa colère.

— Qu'allez-vous faire ?

— Je ne sais pas.

— Nos caractères sont tellement opposés...

— Oui, c'est exact.

— Nous ne sommes pas faits l'un pour l'autre.

— Mais nous pouvons apprendre à nous connaître.

Il dégrafa son corsage de dentelle et enfouit son visage contre sa peau d'ivoire.

— Ce n'est pas une façon de résoudre nos difficultés, murmura Isabel en écartant avec douceur la mèche qui barrait le front soucieux de son ami.

— Je ne vois pas d'autre moyen.

Tout en lui chuchotant des mots doux, Alejandro la déshabilla lentement. Il contempla les cheveux roux qui auréolaient le visage clair, la pâleur d'ivoire de son corps, les seins tendus, le creux de sa taille, le galbe de ses hanches. Puis, frémissant, il se dévêtit à son tour sans la quitter des yeux.

Nue sur la fourrure, le cœur battant la chamade, Isabel attendait, fascinée.

— Alejandro, chuchota-t-elle.

— Dites-le-moi.

— Je vous désire.

— C'est tout ?

— Je vous aime.

— Moi aussi, je vous aime, Isabel. Souvenez-vous toujours que vous êtes mon amour, mon unique amour.

Il s'allongea à côté d'elle. Elle voyait la toison noire et bouclée de sa poitrine, elle reconnaissait l'odeur de son parfum. Il trouva ses lèvres et parsema de baisers son visage, sa gorge et ses seins, caressant le corps souple jusqu'à le faire frissonner de plaisir. Isabel lui rendait ses baisers avec avi-

114

dité, portée par une sorte de délire sensuel qui guidait ses caresses sur le corps dur et musclé, le ventre et le dos bronzés, les jambes fines et nerveuses. Alejandro acceptait, en silence, ses témoignages d'amour.

— Ma tendre Isabel, souffla-t-il, je veux vous prouver ma passion tous les jours. Je veux que votre visage soit la dernière chose que je voie le soir avant de m'endormir et la première à mon réveil. Je veux vous garder tout près de moi.

Il écarta les mèches qui barraient son front.

— Peut-être avez-vous raison, poursuivit-il, peut-être suis-je un mâle arrogant, mais c'est ainsi, je ne changerai plus. Acceptez-moi comme je suis car maintenant vous faites partie de moi-même.

Son baiser, d'abord tendre, se fit impérieux. Il prit Isabel dans ses bras, s'allongea sur elle. La jeune femme, éperdue, gémissait sourdement. Elle s'agrippait à lui, murmurant son nom, puis criant sans retenue. Elle atteignit l'extase, s'affaissa, épuisée, mais, lorsqu'il voulut se détacher d'elle, elle le serra de toutes ses forces.

— Non, restez, Alejandro, restez, mon amour.

Elle s'endormit contre lui, paisible. Alejandro, au contraire, ne trouvait pas le sommeil.

Comme tout matador, il avait eu beaucoup d'aventures car les femmes sont attirées par l'aura presque mystique d'une profession qui dresse l'homme contre la bête. Dans sa jeunesse, il avait lu une page d'un texte ancien qui décrivait le diable comme un monstre cornu, aux pieds fourchus, aux yeux de braise, aux dents pointues et à l'odeur de soufre. Les taureaux ressemblaient au diable. N'était-ce pas pour le combattre qu'il s'exposait aux terribles dangers de la corrida ?

Le visage enfoui dans les cheveux d'Isabel, il eut

une grimace à la fois résignée et joyeuse : cette demande en mariage survenait sans qu'il l'ait prévue, mais il était heureux de l'avoir faite. Une femme comme Isabel n'était pas une créature docile qui supporterait ses moindres caprices, elle avait une grande personnalité et le quitterait s'il s'intéressait à d'autres femmes. Mais aurait-il désormais l'idée de regarder d'autres femmes ? Non, jamais.

Il pensa à l'homme qui avait autrefois vécu avec Isabel et serra les dents. Cet inconnu avait posé les mains sur elle, ils avaient dormi ensemble...

A ce moment, elle tressaillit et sa main se crispa.

— Je suis là, n'ayez pas peur, murmura-t-il.

Une vague de tendresse le submergea. Il la protégerait contre le mal et la souffrance, il veille-rait même sur son sommeil. Et, s'il n'avait pas été le premier, il serait le dernier, il le voulait ainsi.

Au matin, Isabel se leva sans déranger son compagnon et, sous la douche bouillante, se savonna et se frotta longuement, lava ses cheveux ; elle enfila le peignoir blanc d'Alejandro et revint dans la chambre sur la pointe des pieds. Quel désordre ! Il y avait des vêtements éparpillés dans tous les coins de la pièce.

Couché sur le côté, découvert jusqu'à la taille, Alejandro dormait profondément, le bras allongé sur la couverture de fourrure. Isabel s'assit au bord du lit. Le visage aux traits reposés l'émerveillait par sa beauté. Elle contempla le teint mat et lisse, les contours harmonieux du visage et du corps... et les cicatrices qui tailladaient sa peau bronzée.

En soupirant, elle leva les yeux. Le tableau était toujours suspendu au chevet du lit. Isabel eut un mouvement de recul car il lui avait semblé que l'épouse du matador, immobile à côté de son cierge votif, la regardait droit dans les yeux avec tristesse. Je comprends enfin le message du tableau, se dit-elle. Elle eut envie de pleurer sur le sort de cette femme et sur le sien.

Mais l'Espagnole avait été plus loin sur le chemin de la souffrance : elle s'était résignée, elle avait accepté. Elle vivait, patiente et silencieuse, hantée par la peur. Elle continuait à vivre! Jamais je ne pourrai l'imiter se dit Isabel. Jamais je ne me résignerai. Je ne suis ni patiente ni silencieuse et je ne changerai pas. Alejandro non plus ne changera pas. Que faire? Nous sommes dans une terrible impasse.

Soudain, le dormeur ouvrit les yeux, observa sans rien dire le visage tourmenté de la jeune femme. Puis il la prit dans ses bras. Elle lui rendit son étreinte avec force. Il ne demanda pas pourquoi elle s'accrochait ainsi à lui, pourquoi son baiser se faisait aussi désespéré, aussi avide, pourquoi elle pleurait en silence.

Peu après, quand ils quittèrent l'appartement, il lui tendit une clé :

— Venez quand vous voulez, vous êtes chez vous ici.

Isabel fit non de la tête et repoussa sa main.

— Si, si, vous garderez le chat en mon absence.

— Vous n'avez pas de chat.

— J'en achèterai un.

— Alejandro...

— Prenez-la, je vous en supplie.

Il lui referma la main sur la clé.

Chapitre 11

Les jours raccourcirent, une petite bise mordante se mit à souffler. L'automne n'était pas loin.

A Jerez de la Frontera, en septembre, on vient de tous les coins d'Europe assister à la fête des vendanges et au défilé joyeusement coloré des chevaux andalous, des carrioles fleuries, des filles costumées et des charrettes chargées de grappes de raisin que les vendangeurs lancent à la foule massée dans les rues. Le vin coule à flots, et le soir, les amateurs de flamenco se retrouvent dans les cabarets pour écouter les guitares et admirer les danseurs en buvant de l'amontillado ou du manzanilla.

— Vous voulez bien m'accompagner ? demanda Isabel à Esteban. Vous connaissez mieux que personne nos affaires à Jerez. Une semaine au soleil de l'Andalousie ne vous fera pas de mal.

Il accepta sans grand enthousiasme, invita Pepita à les accompagner, mais celle-ci annonça qu'elle préférait aller voir sa mère à Cuenca et achever les préparatifs du mariage.

Les deux voyageurs quittèrent Madrid dans la nouvelle Fiat décapotable d'Esteban. Ils passèrent la nuit à Jaen. Esteban, qui ne s'était pas déridé de la journée, but plus que de raison. Le lendemain, il avait les traits si tirés qu'Isabel lui proposa de prendre le volant.

— Pas question, dit-il. La route est dangereuse entre Jaen et Cordoue et vous n'avez pas l'habitude de conduire une voiture de sport.

Lui-même conduisait bien, mais trop vite — comme tous les Espagnols. Isabel dut à plusieurs reprises lui demander de ralentir. Avant le déjeuner, comme elle l'empêchait de se servir un second whisky, il lui lança un regard noir.

— Que vous arrive-t-il, Esteban ?

— Rien, je suis fatigué, c'est tout. J'ai eu une semaine affreuse.

— Mais non, ce n'est pas ça. Le travail ne vous a jamais fait peur. Qu'avez-vous ?

Esteban se mordit la lèvre.

— C'est la ville. Je déteste la ville. Je veux retourner à Jerez, où acheter des vignobles et vivre à la campagne ; mais, si je le fais, Pepita me quittera. Que vais-je devenir, Isabel ?

— Parlez-lui, expliquez-lui.

— Je ne peux pas, j'ai peur de la perdre. Elle a trouvé un appartement dans un de ces immeubles modernes qui donnent sur Jose Antonio. Jamais je ne pourrai vivre là. Le bruit me rendra fou.

— Alors, dites-le-lui.

— Je ne peux pas, je ne veux pas la perdre.

L'après-midi, Esteban garda un silence morose, mais il conduisit plus lentement et Isabel se détendit.

A Jerez, les préparatifs de la fête les occupèrent toute la semaine. Esteban buvait énormément, mais jamais pendant le travail. Ils rentraient le soir à *La Esperanza* où Juan, que son école avait laissé partir quelques jours, s'entraînait dans l'arène. Il faisait de grands progrès, devenait plus gracieux et plus adroit. Il adorait s'exercer devant Isabel, décomposer les passes pour qu'elle les comprenne mieux, lui parler de son art, lui expliquer combien chaque animal se montrait différent des autres : la scène était d'autant plus drôle qu'il était seul dans l'arène et combattait des taureaux fantômes.

Le samedi, Esteban alla à Cadix chercher Pepita qui arrivait de Madrid, puis Alejandro et Carlos qui débarquaient une heure plus tard.

Au dîner, ce soir-là, Pepita surexcitée parla interminablement de son mariage.

— J'ai enfin choisi ma mantille et ma robe, dit-elle à Esteban. Des kilomètres de dentelle blanche. Je relèverai mes cheveux pour avoir l'air d'une vraie dame. Je suis sûre que tu adoreras.

— J'adore tout ce qui vient de toi, dit-il gentiment en posant la main sur la sienne.

Mais ses yeux restaient tristes et Isabel se demanda s'il se déciderait à avouer la vérité à sa fiancée. Plus tard, seule dans sa chambre avec Alejandro, elle lui en parla.

— Il faut qu'il lui avoue tout, dit ce dernier avec fermeté. S'il n'est pas heureux, leur mariage ne tiendra pas. Il faut qu'il lui parle maintenant, qu'il lui dise qu'il a choisi de retourner vivre à Jerez.

— Elle déteste Jerez. Elle n'aime que Madrid.

— Il n'a qu'à lui faire sentir que c'est à lui de décider.

— Monstre ! s'exclama Isabel en lui lançant un coussin au visage.

— Gare à vous, femme ! gronda-t-il.

— Ah ! Vous ne me faites pas peur !

Elle lui envoya un second coussin et chercha en vain à lui échapper. Il l'embrassa, puis recula d'un pas pour la maintenir à bout de bras.

— Je vais vous apprendre quels sont les devoirs d'une bonne épouse : faire la cuisine, repasser le linge, coudre mes vêtements...

— Jamais !

— Si vous protestez, je...

— Vous ?

— Je ferai ça !

Il lui assena de petites tapes sur les doigts.

— Il n'en est pas question !... Vous avez de bien jolis bras, mademoiselle, reprit-il après un instant, ronds et pleins, blanc d'ivoire, avec cinq marques de doigts toutes roses !

— Alejandro, lâchez-moi ou je...

— Vous, Isabel chérie ?

Il frotta du bout des doigts l'endroit qu'il avait frappé.

— Restez tranquille ou je vous administre une fessée, dit-il.

Il passa à l'acte en lui effleurant doucement le corps. Isabel tressaillit.

— Alejandro !

Peu après, elle répétait, dans un gémissement :

— Alejandro...

— Oui, mon amour, murmura-t-il en multipliant ses caresses.

Isabel succombait. Elle se leva d'un bond, le visage empourpré, les cheveux décoiffés. Alejandro la prit dans ses bras.

— Je vais adorer ma condition d'époux, dit-il.

Et Isabel, éperdue d'amour, pensa que leurs problèmes se résoudraient d'eux-mêmes, qu'il existait sûrement des solutions auxquelles ils n'avaient pas pensé. Je ferai ce qu'il veut, se répétait-elle, je serai exactement celle qu'il veut que je sois.

— Mon amour, dit Alejandro.

Il s'agenouilla à côté d'elle, posa les lèvres sur sa gorge, sur son ventre, sur ses cuisses. Elle murmura :

— A quoi pensez-vous ?

— Vous le savez bien.

— Avouez-le-moi.

— Je vous aime.

Alejandro serra les mains de sa compagne avec ferveur.

— Vous êtes la plus belle femme que j'aie jamais connue.

— Prouvez-le-moi, chuchota-t-elle.

Les yeux dans les siens, il accéda à son désir en s'allongeant à côté d'elle.

— Vous êtes à moi, dit-il. A moi! répéta-t-il avec exultation.

Isabel s'abandonnait à la même frénésie, lui griffait le dos, lui enserrait la taille de ses bras et s'offrait à lui avec volupté. Alejandro lui rendait toutes ses caresses. Ils vécurent des heures exquises, ainsi enlacés, et ne s'endormirent que fort tard.

Le lendemain, un dimanche, Isabel se réveilla seule. Alejandro était parti avec Carlos pour assister au tirage au sort, mais ils étaient convenus de se retrouver après la corrida.

Alanguie, elle resta longtemps immobile à observer le soleil monter lentement dans le ciel. Il fallait qu'elle se lève, qu'elle se baigne, qu'elle bouge. Comment s'occuper? En mettant son travail à jour?

Elle pensait à l'avenir que lui réservait son union avec Alejandro. Elle éprouvait pour lui un amour passionné et total... Sans lui, elle était privée de quelque chose d'essentiel. Sa compagnie lui apportait un bonheur physique et spirituel. Elle aimait parler avec lui, dormir à ses côtés. Sa présence lui était devenue indispensable.

Changerait-il? Parviendrait-elle à supporter son

caractère autoritaire et son arrogance de Latin ? Comment concilier son désir de devenir bonne épouse et le goût pour l'indépendance qui était le sien ?

Toutefois, elle savait bien que les problèmes les plus graves concernaient le métier d'Alejandro. Elle n'était pas du tout certaine de pouvoir supporter de le voir toréer en lui cachant sa peur, ni qu'il risque sa vie régulièrement. Comment endurer un pareil calvaire pendant huit ou neuf ans... Elle n'était même pas sûre de tenir le coup le temps de huit ou neuf corridas.

Dans la matinée, elle mit au point les derniers détails de la fête des vendanges et, quand l'heure de la corrida approcha, s'habilla avec élégance d'un tailleur de daim bronze avec un corsage assorti. Ses cheveux bien peignés brillaient comme de l'or au soleil, des boucles d'oreilles d'ambre dansaient à ses oreilles. Elle se regarda dans la glace et s'intima sévèrement :

— Je n'aurai pas peur, je refuse d'avoir peur.

Mais ces bonnes paroles ne servirent à rien, la panique monta en elle dès qu'elle vit Alejandro entrer dans l'arène et son estomac se convulsa. Elle garda le contrôle d'elle-même parce que Carlos était assis à ses côtés.

Dans l'arène, Alejandro appelait le taureau en agitant sa *muleta*. Il enchaîna les mouvements préliminaires avec maîtrise pour terminer sur une passe pendant laquelle les cornes du taureau frôlèrent les jambes du matador. Il planta ensuite les banderilles lui-même, évitant chaque fois les cornes de quelques millimètres.

Puis vint la mise à mort. Juan tendit à son oncle la *muleta* et l'épée, puis le torero s'approcha de la barrière pour lancer à Isabel :

— A notre mariage !

Il lança alors son chapeau à Esteban et commença le *tercio* de mort. Carlos, penché en avant, marmonnait sans discontinuer : « C'est bien, c'est ça ! Voilà ! Attention... doucement... plus près ! Là ! Non, pas si près. Une *naturale* maintenant. Bien ! Encore... Oui ! Magnifique, magnifique ! »

— C'est une bête superbe, dit Esteban.

— Oui, un Miura, confirma Carlos, et qui affronte un matador digne de lui.

— N'est-ce pas un Miura qui a tué Manolete ? demanda Pepita.

— Oui. Mais il serait encore vivant s'il avait été moins diablement honnête. Manolete savait que le taureau, Islero, avait tendance à dévier vers la droite et il aurait dû se décentrer pour la mise à mort. Mais il a refusé de tricher et l'animal l'a encorné.

Quelle horreur ! se disait Isabel. Oh ! Mon Dieu, quelle horreur !

Elle s'enfonçait les ongles dans les paumes et écoutait avec haine Pepita crier :

— Olé ! Alec, Olé !

Le matador effectuait maintenant une *manoletina* — ainsi appelée parce que cette passe a été inventée par le grand Manolete — qu'Alejandro effectua le regard fixé sur les gradins, avec une lenteur calculée.

L'orchestre attaqua un paso doble, la foule applaudit, Carlos soupira de soulagement, et reprit :

— Les connaisseurs le savent bien, les Miuras possèdent un sixième sens. Ils perçoivent la moindre hésitation du matador. Vous avez remarqué qu'Alejandro ne recule jamais? Quel travail, Esteban, quel travail magnifique, fantastique!

Isabel sentit la sueur perler sur son front. A genoux devant le taureau, Alejandro se penchait vers lui, lui touchait tranquillement les cornes... puis il tourna le dos à la bête.

Isabel se leva.

— Pardon...

— Qu'y a-t-il, où allez-vous? demanda Esteban.

— Chercher un verre d'eau et prendre une aspirine. J'ai mal à la tête.

— J'y vais.

— Non, non, ne bougez pas!

Ses oreilles sifflaient. Elle se précipita vers une sortie et s'accrocha à la rampe. Ses genoux flageolaient, le monde vacillait. Elle sentit tout à coup une main ferme la saisir par le coude et un bras la prendre par la taille.

— Là, venez!

Derrière les gradins, elle fut prise de nausées et vomit. Puis, faible et malade, elle s'essuya le visage avec le mouchoir qu'on lui tendait. Quand elle leva les yeux, elle rencontra le regard préoccupé de Carlos. C'était donc lui qui lui avait porté secours? Il la soutint avec sollicitude en la conduisant jusqu'à un banc de pierre.

— Asseyez-vous, lui dit-il avec douceur. Fermez les yeux, laissez-vous aller. Respirez un bon coup.

Honteuse, Isabel obéit.

— Je suis désolée, dit-elle après un instant de silence. J'ai dû manger quelque chose ce matin qui...

— Non, *señorita*, ne me racontez pas d'histoire... et ne vous en racontez pas non plus.

— Je ne comprends pas.

— Vous êtes terrifiée.

126

— Non.

— Si, vous êtes malade de peur. Moi aussi, *señorita*... Nous n'y pouvons rien, ni l'un ni l'autre, parce que nous aimons Alec. Pour moi, il est le fils que je n'ai pas eu. Et pour vous ?

— Nous allons nous marier, dit-elle.

— Oui. Cette perspective m'effraie.

— Parce que vous ne m'aimez pas.

— Parce que vous allez essayer de le changer.

— Jamais.

— Vous ne pourrez vous en empêcher. Si vous vous étiez vue tout à l'heure, blanche et tremblante comme une feuille... Combien de temps réussirez-vous à lui cacher votre panique ? Combien de temps, avant que votre peur ne commence à lui faire peur ? Ce sentiment est contagieux, vous savez.

Il a raison, pensait Isabel. Mais elle refusait de l'admettre. Elle le regarda en face.

— Je vais épouser Alec, mais il gardera sa liberté et moi la mienne.

Manzanares sourit et dit avec gentillesse :

— Oh ! Ces Américaines ! Vous allez le faire tourner en bourrique ! Mais un Espagnol relève toujours le défi et l'aventure promet d'être intéressante. Allons, *señorita*, soyons amis, puisque vous êtes décidée à rester avec nous !

Plus tard, quand Alejandro vint la rejoindre, il lui demanda :

— Je vous ai vue vous lever pendant la corrida. Où êtes-vous allés, Carlos et vous ?

— J'avais mal à la tête. Je voulais un verre d'eau et Carlos m'a accompagnée.

Alejandro la regarda d'un drôle d'air.

— C'est vrai ? dit-il. A Valence aussi, vous avez eu mal à la tête.

— Oui, mais...

Alejandro lui releva le menton.

— Ne me cachez rien, je vous en prie. Vous aviez peur, n'est-ce pas ?

— Pas du tout ! dit-elle d'une voix trop cassante en se détournant avec vivacité. Qu'allez-vous imaginer ? J'adore les corridas, les couleurs, les bruits, la lumière, la foule, tout !

— Et vous aimez aussi quand c'est moi qui toréé ?

— Mais bien entendu, répondit Isabel en lui adressant un sourire qu'elle espérait convaincant. Et ce n'est pas seulement parce que je vous aime, mais aussi parce que vous êtes le meilleur ! D'ailleurs, j'ai attendu la mise à mort pour quitter ma place. Et puis, c'est votre faute si j'ai eu mal à la tête, vous ne m'avez pas laissée beaucoup dormir la nuit dernière !

Il la prit dans ses bras. L'interrogatoire était terminé.

Chapitre 12

Isabel, impatientée, regarda Pepita et lui lança d'une voix coupante :

— Qu'est-ce qui vous prend, Pepita ? Vous avez boudé toute la semaine. Pourquoi cet air maussade ?

— Pour rien.

— Allons, parlez. Vous êtes fâchée contre moi ?

— Non, Isabel. Ce n'est pas vous, c'est Esteban. Il a changé d'avis, il ne veut plus habiter Madrid.

— Je suis navrée. Mais s'il n'y est pas heureux ?

— Il le serait s'il essayait vraiment... Forcez-le à rester, Isabel. Vous pourriez demander à Alvarez qu'il impose à Esteban de rester à Madrid.

— Je ne peux pas le faire, et même si je le pouvais, je refuserais. Esteban est libre.

— Je serai malheureuse toute ma vie !

— Si vous aimez Esteban, vous vous moquerez de l'endroit où vous habiterez.

— Ce n'est pas vrai.

— Ecoutez, Pepita, je sais bien que Jerez n'est pas Madrid, mais c'est une ville charmante, proche de Séville et de Cadix, pas loin de Tanger...

— Ça m'est égal. Ah ! Quel malheur !

Elle posa la tête sur son bureau et se mit à pleurer. Isabel essaya de la réconforter.

— Parlez à Esteban, peut-être parviendrez-vous

à trouver un compromis : passer l'hiver à Madrid et l'été à Jerez ? Il faudrait qu'il démissionne du service des exportations, mais Alvarez pourra toujours le placer ailleurs.

Pepita se redressa et s'essuya les yeux en pleurnichant.

— Il m'a dit qu'il reviendrait à la fin de la semaine pour que nous en discutions encore. Il y a autre chose, Isabel. Il veut aussi quitter l'entreprise, acheter des vignobles. *Dios mío !* Me retrouver exactement comme dans mon enfance, dans la gadoue jusqu'aux genoux !

— Vous exagérez, dit Isabel en souriant. Vous ne vivrez pas ainsi avec Esteban.

Puis elle ajouta avec gravité :

— Est-ce que vous l'aimez vraiment ?

— Bien sûr que je l'aime... Mais j'aime aussi Madrid, j'aime vivre ici, j'aime l'appartement, j'aime mes meubles modernes...

— Vous pourrez les garder !

— Je ne veux pas déménager, déclara Pepita, le visage dur.

Isabel ne put réprimer un geste d'agacement. Les préoccupations de Pepita lui paraissaient futiles, peu compatibles avec un véritable amour. Esteban aimait la terre et il ne changerait pas, mais il aimait aussi Pepita et il avait les moyens de lui assurer une vie agréable. Ah ! se disait-elle, pourquoi souhaitons-nous toujours transformer les hommes que nous aimons ? Moi, par exemple, qui voudrais qu'Alejandro change de profession ! Non, la comparaison n'avait pas de sens : il existait une différence énorme entre regarder mûrir son raisin au soleil et risquer sa vie dans une arène...

Comme Alejandro avait deux corridas prévues pendant le week-end à Guadalajara et qu'Isabel devait y assister, elle se morigéna sévèrement pendant toute la semaine qui précéda : profiter du spectacle, ne pas se conduire comme une malade.

Le samedi matin, en pleine forme, elle accompagna le matador et son imprésario au tirage au sort. Les taureaux lui parurent énormes, mais elle ne dit mot et fit mine de s'intéresser à la désignation des bêtes.

— Je n'aime pas du tout ton numéro deux, Alec, dit Carlos avec un regard soucieux. Il a quelque chose à l'œil gauche et ne doit pas bien voir de ce côté-là. Attention, il faudra compenser.

— J'y penserai. C'est une belle bête.

— Avec de belles cornes ! Je regrette que tu l'aies tirée au sort.

Alejandro fit un geste insouciant.

— Il fallait bien qu'il revienne à quelqu'un. J'ai vu pire !

Un peu plus tard, Isabel interrogeait Carlos.

— Que signifie cette histoire d'œil gauche ?

— Quand un taureau est borgne, il charge comme une brute. Son ouïe et divers autres instincts de survie sont hypertrophiés pour compenser ce déficit. S'il perçoit le moindre mouvement, la moindre présence à côté de lui, il donne un coup de corne. Un matador doit tenir compte de toutes les imperfections de l'animal qu'il combat et modifier son comportement en conséquence. Je mettais simplement Alec en garde, Isabel, mais c'était une recommandation superflue : il sait très bien quoi faire dans ce cas-là.

Il lança un coup d'œil à la jeune femme et reprit :

— Pourquoi ne pas dire que vous êtes fatiguée et rester à l'hôtel cet après-midi ?

— Non, Carlos. D'ailleurs, je vous ai promis de

ne plus être malade. Personne ne s'apercevra de rien. Je sourirai.

— Dites-lui la vérité.

La jeune femme secoua la tête lentement.

— Je ne peux pas, c'est impossible.

Le taureau borgne heurta Alejandro au début de la lutte : il l'accrocha d'une corne, le souleva, le projeta à terre et attaqua. Par miracle, le torero était indemne et se releva aussitôt que ses aides eurent réussi à détourner l'attention de l'animal. D'un geste, il congédia ses hommes et refit face.

L'épée dans la main droite il exécuta à la suite deux passes audacieuses. Les deux fois, le taureau passa à le frôler.

Un drame se déroulait sous les yeux du public : l'animal avait compris que l'homme était dangereux et il voulait le tuer. Mais, furieux d'avoir été jeté à terre, Alejandro aussi voulait vaincre. Il effectua une série de mouvements téméraires, impassible, les yeux, le menton et la poitrine alignés sur la même verticale et effaçant légèrement sa hanche au passage du taureau.

— *Por Dios*, quel homme ! s'écria une femme assise derrière Isabel. Je donnerais un an de ma vie pour passer la nuit avec lui !

— Torero ! Torero ! criait la foule après chaque passe.

Devant les milliers de spectateurs, Alejandro tomba à genoux devant le taureau en tenant l'épée dans son dos. Isabel le regardait, fascinée, et tellement scandalisée maintenant qu'elle en oubliait d'être malade...

Après la mise à mort, quand le président eut accordé les deux oreilles au vainqueur, elle ne se leva même pas pour l'acclamer. Une chaussure vola par-dessus sa tête, tomba aux pieds d'Alejandro qui la ramassa, la toucha de ses lèvres avant de la renvoyer dans la direction d'où elle était venue. Elle appartenait à la femme assise derrière Isabel. Le matador souriait. Il buvait de longues rasades aux gourdes de cuir, acceptait les fleurs avec grâce. A la fin, il regagna le centre de l'arène pour saluer, les mains croisées sur la poitrine.

— Magnifique! criait une spectatrice voisine. Jamais je n'ai vu quelqu'un comme lui!

— Moi non plus, marmonna Isabel.

Ce soir-là, seule avec Alejandro, Isabel lui demanda :

— Aviez-vous besoin de vous montrer tellement provocant?

— Pardon? dit-il interloqué. A quoi faites-vous allusion?

— A votre exploit de l'après-midi. Vous vous êtes montré d'une hardiesse! Vous provoquiez le taureau, vous vous pavaniez comme un paon. Grand Dieu! J'ai cru que ma voisine allait sauter par-dessus la barrière pour vous embrasser en public!

— Vous êtes jalouse, constata Alejandro avec une vive satisfaction.

Isabel l'aurait volontiers étranglé.

— Non! Je me moque de ces créatures en délire et de leurs hurlements. Vous êtes une vedette et je les comprends. Mais ce que je ne comprends pas, c'est pourquoi vous prenez ces risques insensés.

Alejandro la regarda fixement.

— Des risques insensés! Voyons, Isabel, vous n'y comprenez rien! Ne vous occupez pas de ça!

— Je ne m'occupe de rien, mais je refuse d'être témoin de vos tentatives de suicide.

— Mes tentatives de suicide ? Je sais parfaitement ce que je fais !

— Le saviez-vous si bien, quand le taureau vous a attrapé la jambe ?

— C'était un accident.

— Et les autres fois ?

Il détourna les yeux.

— J'ai vu vos cicatrices, reprit-elle, j'ai vu vos blessures et je les ai comptées.

— C'est un risque du métier. Tous les métiers ont leurs inconvénients.

— Tous ? Donnez-moi des exemples.

— Eh bien ! La peinture en bâtiment par exemple... Un peintre en bâtiment peut tomber de son échelle. Un archéologue peut recevoir une tonne de pierres sur la tête, un bibliothécaire peut s'éborgner avec son stylo.

— Idiot !

— Folle ! Si vous ne pouvez supporter de me regarder, n'assistez pas aux corridas.

— Pour quoi faire pendant ce temps ? Rester assise à la maison, comme la femme du tableau ? Jamais !

— Une vraie Espagnole reste dans son foyer et ne se mêle pas de ce qui ne la regarde pas.

— Mais ce qui vous concerne me regarde ! Cherchez-vous à prouver votre supériorité ? Vous êtes là à vous rengorger...

— Assez ! dit-il en lui prenant le bras.

— Vous allez jouer ce jeu longtemps ? Jusqu'à ce qu'un taureau vous tue ou vous estropie ? Vous voulez finir comme Rufino Briviesca ? Seul et unijambiste ?

— Seul ? dit Alejandro, pâle comme un mort. Que voulez-vous dire ?

— Rien.

134

— En somme, c'est du chantage ce que vous faites là !

— Non.

Isabel entendait une voix intérieure qui lui soufflait : « Si tu continues, si tu insistes, tu ne pourras plus faire marche arrière. Tu veux donc le perdre ? »

Mais elle savait aussi qu'elle ne pourrait supporter d'imaginer les danses de mort dans l'arène, tous les dimanches, pendant encore huit ou neuf ans. Puisqu'il l'aimait, ne pouvait-il lui épargner cette torture ?

Elle le regarda d'un air piteux :

— Je suis désolée, dit-elle. Ne vous fâchez pas, Alec. Je ne suis qu'une pauvre femme et je... je vous aime tant. L'idée que vous soyez blessé me terrifie. Mais c'est fini, je ne ferai plus de scène, je vous le jure.

Elle déboutonna la chemise blanche, posa ses lèvres sur sa poitrine et chuchota :

— Plus jamais de scène... sauf si une de ces femmes essaie de vous séduire. Je l'aurais tuée, cette impertinente, en l'entendant crier votre nom.

Elle couvrit la poitrine musclée de petits baisers et de caresses, puis saisit Alejandro par la main et l'entraîna vers le lit. Elle le fit allonger, le déshabilla complètement. Ses doigts tremblaient.

Son compagnon se laissait embrasser, cajoler, câliner. Il la regardait avec attention, les yeux mi-clos et brillants. Soudain, Isabel s'éloigna pour éteindre les lampes principales, et ne garder qu'un faible éclairage. Elle enleva lentement ses vêtements, enfila sa chemise de nuit de mousseline, se brossa les cheveux avec une lenteur étudiée, se parfuma ensuite, décomposant chacun de ses gestes.

— Venez, lui dit Alejandro d'une voix rauque.

Pour toute réponse elle s'étira, s'approcha de lui et s'assit au bord du lit. Elle se passa un doigt sur les lèvres puis, doucement, le promena sur le grand corps allongé.

— Assez ! cria-t-il en lui attrapant la main et en l'attirant vivement contre lui. Ces caresses me torturent !

— Attendez encore un peu, chuchota Isabel.

Elle ne tint pas compte de ses protestations, parsema de baisers son visage et son cou, sa poitrine haletante, son ventre plat.

— Magicienne... je vous veux contre moi tout de suite !

— Une seconde, mon amour... C'est ainsi que vous me faites attendre, quand je rêve de vous serrer dans mes bras.

— C'est parce que je veux vous entendre me supplier de...

— Je sais, dit-elle en se frottant de tout son long contre lui.

— Mon Dieu ! Isabel, je ne peux plus résister.

Il la prit dans ses bras, arracha sa chemise de nuit et s'étendit sur elle. Isabel lisait dans ses yeux un curieux mélange d'amour et de colère. A le sentir tout près d'elle, elle éprouvait une joie indescriptible. Leurs deux corps se fondaient en un, portés par le rythme de l'amour. La jeune femme découvrait un monde de sensations violentes et murmurait des mots d'amour en tremblant d'émotion. Leurs souffles se joignirent une dernière fois et elle perdit à demi conscience. Elle passa sans s'en rendre compte de cet état intermédiaire à un sommeil profond et sans rêve.

Quand elle se réveilla, le soleil était levé et Alejandro, déjà habillé, se tenait au bord du lit. Il la regardait avec vénération.

— Vous êtes quelqu'un d'extraordinaire, dit-il en se penchant sur elle pour l'embrasser. Parfois, vous semblez l'innocence incarnée, d'autres fois vous êtes extrêmement sophistiquée, ou encore terriblement enjôleuse... Jamais je ne me lasserai de vous.

— Ni moi de vous, répliqua-t-elle en mêlant ses doigts aux siens. Pardonnez-moi pour hier soir. Je vous aime trop pour admettre de vous voir en danger. Je vous ai menti, Alec : j'ai peur. Aux arènes, je suis à l'agonie, je ne supporte plus de vous regarder.

— Isabel...

— Hier, en vous voyant attirer le taureau à quelques centimètres, j'ai cru que...

— Mais c'est mon métier, je dois le faire, c'est l'usage.

— Je sais, mais peut-être n'êtes-vous pas obligé de prendre de pareils risques... Vous êtes au sommet de votre carrière, vous n'avez plus rien à prouver à personne. Vous pourriez montrer moins... plus...

Alejandro fronça les sourcils. Isabel rassembla tout son courage et reprit en cherchant ses mots.

— Essayez de prendre moins de risques, je vous en supplie, Alejandro, évitez les passes les plus dangereuses. Le public vous aimera quand même. La plupart des gens n'y verront que du feu.

— C'est impossible, ne me demandez pas une chose pareille ! Je ne peux pas.

Les yeux pleins de larmes, Isabel murmura :

— Même pas pour moi ?

Livide, Alejandro se raidit.

— Isabel...

— Oh! Je vous aime tant, dit-elle en éclatant en sanglots.

Le matador resta un moment immobile, puis il poussa un profond soupir et l'enlaça.

Isabel comprit qu'elle avait gagné.

Chapitre 13

Le président leva son mouchoir blanc et les clairons annoncèrent le dernier acte. Alejandro, qui avait mené les deux premières phases de la corrida sans aucune faute, commença la troisième, le *tercio* de mort, avec moins de brio que d'habitude. Crispé, il s'expliquait son comportement en se disant que le taureau était dangereux et qu'il devait se montrer prudent. Il exécuta un des mouvements, le bras un peu trop tendu. Il secoua la cape, fléchit les poignets pour la relever au passage de la bête puis termina par une passe de poitrine. Les spectateurs l'acclamèrent et il se détendit. Le public est avec moi, se dit-il.

Isabel avait peut-être raison. S'il prenait moins de risques, la plupart des gens ne s'en apercevraient pas. Il effectua alors une *manoletina* en tenant la cape haute, conscient qu'il recherchait la facilité. Quand le public réclama quelques passes supplémentaires, il n'obtempéra pas et passa à l'estocade. La foule, déçue, fut avare d'applaudissements.

Tandis que l'attelage de mules empanachées, aux harnais ornés de grelots, traînait hors de l'arène le cadavre du taureau, Alejandro alla boire un verre d'eau. Il essayait d'éviter les yeux de Carlos, mais à la fin, il lui fallut bien répondre à l'interrogation muette de son ami.

— Je n'aimais pas cette bête, dit-il. Elle avait quelque chose à l'œil droit. Je n'ai pas voulu prendre de risque.

— Bien sûr. Ton numéro deux sera meilleur.

Mais, avec le deuxième taureau, l'aurait-il souhaité qu'il n'aurait pu prendre de risques car la bête avait peur. Elle refusait de charger les chevaux, évitait l'affrontement et cherchait une issue pour s'enfuir. Après avoir essayé en vain de la « travailler », Alejandro ne retarda pas la mise à mort.

Carlos ne se permit aucun commentaire désobligeant. Toutefois, quand ils arrivèrent à l'hôtel, il dit :

— Si nous prenions un verre ensemble avant de dîner ? Isabel part ce soir ou demain ?

— Demain matin de bonne heure.

— Alors, vous avez sans doute envie de passer la soirée tous les deux. Voyons-nous avant. Je t'attends au bar dans une demi-heure.

— D'accord.

Mais Carlos attendit en vain. Une fois habillé, Alejandro quitta l'hôtel sans avertir Isabel, entra dans un café à quelques rues de là, s'assit seul à une table et but. Beaucoup. Ensuite, il erra dans les rues. Il pensait à Isabel. Vivre sans elle lui paraissait impossible, mais vivre comme elle le lui avait demandé, encore plus inimaginable. Finalement, il rentra à l'hôtel et alla frapper à la porte de sa chambre. La jeune femme lui ouvrit aussitôt, sans dissimuler sa peine :

— Où étiez-vous passé ? Nous vous avons attendu, Carlos et moi...

— Vous avez dîné ?

— Oui, ici, à l'hôtel. Alejandro, qu'y a-t-il ? Pourquoi avez-vous disparu sans prévenir ?

— J'avais besoin d'être seul. Asseyez-vous, Isabel. Il faut que je vous parle.

Elle avait la gorge serrée. Frissonnante, elle resserra sa robe d'intérieur et alla s'asseoir sur un fauteuil près de la fenêtre. Alejandro marcha un moment en silence puis vint près d'elle et poussa un grand soupir.

— Aujourd'hui, j'ai triché. C'est la première fois de ma vie et c'est aussi la dernière.

— Mais...

Il leva une main.

— Laissez-moi parler. J'ai toujours été honnête. Les grands matadors sont honnêtes. Arruza, Gaona, Belmonte, Manolete étaient des gens intègres.

— L'intégrité tue ! lança Isabel avec amertume.

— Isabel... Jamais je ne serai aussi bon qu'eux, bien sûr, mais je dois faire de mon mieux. Il le faut, c'est ainsi. Tous les artistes font de leur mieux. On ne peut exiger d'eux qu'ils restent en deçà de leurs possibilités, il faut au contraire qu'ils se dépassent sans cesse. Je vous aime, je veux vous épouser, mais je ne peux pas changer ma façon de toréer, ma façon d'être. Pas même par amour pour vous.

Quand il se tut, Isabel sentit un lourd silence l'envelopper comme une chape de plomb. Elle était terrassée.

— C'est terrible... murmura-t-elle enfin.

— Isabel...

— Non, Alejandro, c'est impossible. Je ne peux pas vous épouser parce que je ne pourrais pas vivre dans d'éternelles souffrances. Si vous abandonniez...

— Non, Isabel. Pas de conditions, s'il vous plaît.

— Ce n'est pas une condition. Si vous m'aimez...

Elle se mordit la lèvre.

— Je suis désolée, reprit-elle, désolée que nous nous quittions ainsi.

— Moi aussi.

Il la regarda, refoula son envie de la prendre dans ses bras. Si je l'embrasse, je vais céder, pensa-t-il. La gorge serrée, les lèvres dures, il réussit à articuler :

— Vous partez demain matin ?

— Oui. Je dois être à Madrid à neuf heures.

— Soyez prudente sur la route.

— Oui.

— Au revoir, Isabel.

— Au revoir.

Il se dirigea lentement vers la porte et sortit. Isabel l'accompagna, puis referma le battant et poussa le verrou. Debout dans le couloir, Alejandro s'adossa au mur. Il resta longtemps sans bouger, incapable de réfléchir. Déchiré par des sentiments contradictoires, il suppliait intérieurement Isabel de changer d'avis.

Mais son espoir fut déçu, Isabel ne le rappela pas, elle ne rouvrit pas sa porte.

Chapitre 14

L'automne s'écoula lentement. Fini les promesses de l'été, le soleil et les fleurs odorantes. Octobre était là, avec ses vents froids, ses nuages gris. Isabel se plongeait dans le travail, sautait les déjeuners, écrivait tard le soir. Elle avait maigri et pâli. Quand elle se regardait dans une glace, elle rencontrait une inconnue aux traits tirés et à la bouche marquée d'un pli amer.

Fini aussi les dimanches à la corrida. Ce jour-là, elle s'était forcée à sortir pour prendre l'air quelques heures, mais elle n'allait pas à la campagne, elle n'avait plus envie de conduire. Elle marchait dans les rues de Madrid, se rendait au jardin botanique ou au parc d'El Retiro, mais les ors et les pourpres des feuillages, annonciateurs de l'hiver, n'éveillaient en elle que tristesse. Tous les gens qu'elle croisait lui semblaient anormalement gais. Elle rentra chez elle, frissonnante.

Tous les lundis, elle ouvrait le journal à la page des corridas. Alejandro avait toréé à Albacete, Salamanque, Zamora, Valladolid, Lisbonne, Barcelone, où quinze mille personnes l'avaient acclamé, où neuf femmes sur dix avaient souhaité faire sa connaissance.

Depuis leur dernière conversation, il n'avait pas essayé de la joindre et c'était mieux ainsi : ils ne pouvaient plus rien l'un pour l'autre, ils avaient eu raison de rompre... Mais avoir raison n'a jamais empêché personne de souffrir.

Isabel comprenait mieux Pepita. Comme c'était étrange ! Elles avaient toutes deux adressé des ultimatums. Isabel avait perdu, Pepita gardait une chance car Esteban venait de revenir à Madrid, prêt à essayer une fois encore de s'adapter à cette vie qui ne lui convenait pas. De jour en jour, Pepita devenait plus belle et plus assurée. Elle portait des robes chatoyantes et écrasait les autres femmes par sa vitalité rayonnante. Dans la rue, toutes les têtes masculines se retournaient sur elle, mais la belle Gitane ne s'en occupait pas : elle était follement amoureuse d'Esteban qui le lui rendait bien. Au bureau, il ne la quittait pas des yeux et Isabel éprouvait pour lui une sympathie inquiète, se demandant s'il était sain d'aimer aussi ardemment, de s'abandonner aussi totalement à l'amour ? Car Esteban n'avait pas l'air heureux.

— Qu'avez-vous ? lui demanda-t-elle un jour qu'ils travaillaient ensemble sur des statistiques. Vous n'avez pas l'air plus gai que moi.

— Alec ne s'est pas manifesté ?

— Non et c'est normal. Nous avons réellement rompu. Il ne changera pas d'avis. Il veut continuer à exercer sa profession et moi je ne peux... je ne peux pas le supporter.

— Mais vous l'aimez ?

— Oh ! oui. Je l'aime tant que j'ai souvent envie de tout envoyer promener pour aller le rejoindre. Mais c'est impossible, je ne supporte plus les corridas : elles me mettent au supplice.

— Pauvre Isabel...

— C'est vrai, dit-elle en souriant tristement.

Pauvre de moi! Et vous, votre travail? Vous vous y habituez?

— Non. Je le sais, vous le savez, Alvarez le sait. J'appartiens aux vignobles... Je ne respire que là-bas... Mais je ne veux pas perdre Pepita. Je ne peux pas vivre sans elle.

— Et votre achat d'une propriété viticole?

— Il est conclu. J'espérais que Pepita se laisserait séduire. Le domaine est situé à quatre-vingts kilomètres de Jerez, au bord du Guadalquivir. Il y a des arbres. La maison est à retaper, mais c'est un endroit magnifique. Je me disais que Pepita... mais c'était un rêve. Pepita ne changera pas d'avis.

— Si, peut-être, avec le temps, dit Isabel sans conviction.

Que faire pour eux? se demandait-elle. Comment aider les autres quand on est incapable de s'aider soi-même?

Esteban interrompit ses réflexions:

— J'ai oublié de vous dire: Juan fait ses débuts dimanche prochain.

— Juan? Mais c'est un enfant!

— Il aura quinze ans en novembre. S'il doit devenir torero, c'est le bon âge pour commencer.

— Comment Alejandro peut-il tolérer...

— Isabel! Alejandro et moi descendons d'une famille d'éleveurs. Nous avons toujours vécu près des taureaux. Mon grand-père possédait un célèbre troupeau. Mon père était matador. Manuel, le frère aîné de Juan, s'est essayé comme matador il y a quelques années, mais il n'a pas continué. Juan, lui, continuera, j'en suis sûr. Alec pense qu'il a l'étoffe d'un bon torero.

— Il veut former son petit double, dit Isabel avec acidité.

— Isabel! Juan est bon. Un jour il sera aussi bon

qu'Alec. C'est une chance pour lui d'avoir Alec comme conseiller.

La jeune femme abandonna la discussion.

— Sans doute, dit-elle.

Mais elle n'était pas d'accord.

Elle essaya d'oublier Juan, de ne plus penser à lui. Aussi, fut-elle infiniment surprise de l'entendre au téléphone.

— *Señorita* Newman ? C'est Juan Hernandez.

— Juan ! Ça me fait plaisir d'entendre ta voix. Comment vas-tu ?

— Très bien.

Il s'éclaircit la gorge.

— Ah ! Isabel ! Tu sais que je... que je fais mes débuts dimanche ?

— Esteban me l'a dit.

— A Ségovie.

— C'est merveilleux, si c'est... si c'est ce que tu veux.

— Oui.

Il se gratta de nouveau la gorge.

— Ségovie n'est pas très loin de Madrid. Je me demandais si... si tu pourrais venir... me voir ce jour-là.

— Eh bien ! je ne sais pas très bien...

— J'ai réservé des places pour toi, Esteban et Pepita. Vous pourriez venir en voiture ? Je voudrais tant que tu sois là.

Pour rencontrer Alejandro ? Oh ! non... Mais, sous les instances du garçon, elle céda.

— D'accord, dit-elle, je ne voudrais pas rater cet événement. Je crierai plus fort que tout le monde.

— Oncle Alec s'occupera de vos chambres, dit Juan d'une voix rieuse. Mon frère Manuel vient. Et mon arrière-grand-mère aussi. Nous dînerons tous ensemble samedi.

146

— Bon. J'ai hâte de te voir, Juan. Tu m'as manqué.

— Moi aussi, Isabel, j'ai hâte de te voir. Alors, salut, à samedi !

— Salut !

C'était vrai, elle avait hâte de le voir. Elle aimait beaucoup Juan : elle irait à Ségovie pour lui, rien que pour lui.

Néanmoins, au cas où.. elle acheta une robe neuve.

— Tout, sauf du rose ! avait-elle dit à la vendeuse.

Elle choisit une robe droite de laine blanche à col roulé avec de longues manches étroites, et un superbe manteau de drap de laine caramel qui lui coûta une fortune.

Le samedi, à Ségovie, très élégante et très mal à l'aise, elle se rendit en compagnie d'Esteban et de Pepita à la *Méson de Candido*, une vieille auberge tapie à l'ombre d'un ancien aqueduc. Les nouveaux arrivants furent conduits dans une salle bondée de gens qu'Isabel n'avait jamais vus.

Alejandro vint à leur rencontre. Il avait un air sombre et fatigué et Isabel remarqua qu'il parlait d'une voix étranglée quand il lui annonça poliment :

— Je suis heureux que vous ayez pu venir.

Isabel, oppressée, ne répondit pas. Elle ne savait pas très bien ce dont elle avait envie : s'enfuir à toutes jambes ou se jeter dans ses bras. Fort à propos, Juan vint la tirer d'embarras.

— Tu es venue ! dit-il joyeusement. Tu as vu l'heure ? Je croyais que tu n'arriverais jamais !

— Il a fallu que je passe au bureau avant de

partir. Mais je n'aurais manqué tes débuts pour rien au monde !

— Bien sûr ! Vous aimez tant les corridas, dit Alejandro sans sourire.

Isabel lui lança un regard noir et prit Juan par l'épaule.

— Tendu ?

— Oui.

— Tu as peur ?

— Comment le sais-tu ?

Isabel éclata de rire.

— Ce n'est pas sorcier. Nous y passons tous, à un moment ou à un autre, un nouvel emploi, un premier rendez-vous, une première corrida... Ne t'inquiète pas, Juan, si tu n'étais pas prêt, Alejandro ne te laisserait pas faire. D'ailleurs, si tu as autant d'allure demain que ce soir, je suis sûre que tu vas faire des étincelles. Auquel de tes oncles ressembles-tu ? Tous deux sont très beaux mais tu les bats encore de cent coudées !

— Assez ! dit Alejandro, il est déjà affreusement gâté... Allons présenter ces dames aux autres convives, ajouta-t-il en posant la main sur l'épaule de Juan.

Isabel fut présentée à des oncles, des tantes, des cousins, au frère de Juan et à sa femme. Et enfin à *doña* Inez, la grand-mère d'Alejandro.

— *Abuela*, dit ce dernier, je voudrais te présenter la *señorita* Isabel Newman qui est américaine. Isabel, voici ma grand-mère.

La *señora* Inez Gabriela Garcia Cervantes était une très belle vieille dame de près de quatre-vingts ans. Elle avait les mêmes yeux qu'Alejandro. Verts et perspicaces. Isabel serra sa main fine et nerveuse.

148

— Alejandro m'a beaucoup parlé de vous. Je suis heureuse de vous connaître, dit-elle.

— Asseyez-vous là, répliqua la vieille dame. Bavardons un peu. Alejandro ! Va t'occuper de tes autres invités, ordonna-t-elle à son petit-fils en le congédiant d'un geste. Je vais parler avec ton amie. Vous aimez l'Espagne, *señorita ?*

— Beaucoup, madame.

— Vous êtes ici depuis longtemps ?

— Plus d'un an.

— Vous allez rester ?

— Non, je rentre aux Etats-Unis dans quelques mois.

— Pourquoi, puisque vous vous plaisez ici ?

— Oui, je m'y plais, mais...

— Vous êtes amoureuse d'Alejandro ?

— *Doña* Inez ! Vraiment, je ne...

— Allons, allons, pas tant de manières, mon enfant, répondez-moi franchement. Vous aimez mon petit-fils ?

Isabel hésita, puis répondit :

— Oui, madame.

— C'est bien ce que je pensais. Comme Alec est lui aussi amoureux de vous, vous vous serez disputés... Alec est taciturne et irritable, tout comme son grand-père quand il avait une contrariété. C'est à cause des taureaux, non ? C'est cela qui vous sépare ?

Les yeux d'Isabel se remplirent de larmes. Elle se mordit les lèvres.

— Ne l'abandonnez pas, murmura la vieille dame en lui posant la main sur le poignet. Epousez-le et bagarrez-vous avec lui ensuite. Mais ne l'abandonnez pas.

— Mais les choses... les choses doivent être bien claires avant le mariage !

— Absurde ! s'écria *doña* Inez.

Puis, avec des mines de conspiratrice, elle ajouta :

— Quand on se marie à l'église, c'est pour la vie. C'est ce qui compte. Vous dormez dans son lit, vous portez ses enfants. Le reste vient ensuite : vous le harcelez, vous le menacez, vous vous bagarrez avec lui !

Isabel sourit.

— Le calcul n'est pas très honnête, dit-elle. Avec Alejandro, cela ne marcherait pas. Notre problème n'est pas simple.

— Mon enfant, l'amour n'est jamais simple ! Commencez par épouser Alejandro.

— Ce serait malhonnête.

— *Dios !* Je m'attendais à ce genre de réponse ! Bon. Nous verrons plus tard, d'accord ? Mais n'abandonnez pas cet être buté à sa solitude. S'il le faut, je lui jetterai un sort, ajouta-t-elle, l'œil étincelant.

Plusieurs fois pendant le dîner, Isabel vit Alejandro l'observer en fronçant les sourcils. Le repas terminé, *doña* Inez, Juan et quelques autres invités se retirèrent et Alejandro vint la rejoindre.

— De quoi avez-vous parlé toutes les deux ?

— De sortilèges !

Il détourna les yeux. Isabel reprit :

— Quel personnage, votre grand-mère ! Je suis réellement heureuse de la connaître.

— Moi, je suis content que vous soyez venue. Puis-je vous raccompagner à votre hôtel ?

— Je pensais rentrer avec Esteban et Pepita.

— Ils ont décidé d'aller écouter de la musique et boire quelques verres. Vous avez envie de les accompagner ?

— Pas vraiment.

— Alors, venez avec moi.

Alejandro distribua quelques poignées de main, laissa Isabel prendre congé et l'entraîna vers sa voiture. Sans lui demander son avis, il prit la direction opposée à celle de l'hôtel et gagna les faubourgs de la ville.

— Où allons-nous ? demanda-t-elle.

— Voir l'Alcazar au clair de lune.

Parvenu au confluent des deux petites rivières qui enserrent Ségovie, Alejandro fit faire demi-tour à la Mercedes et vint se garer sur le bas-côté de la route, face à la ville. Sur son éperon rocheux, l'Alcazar brillait au clair de lune comme un château de conte de fées. C'était là qu'Isabelle la Catholique avait été proclamée reine de Castille, là que Ferdinand d'Aragon l'avait rencontrée pour la première fois et avait décidé de la prendre pour épouse.

Enchantement, beauté, romanesque, mémoire d'une splendeur éteinte, c'est tout cela l'Espagne, se disait Isabel. Dans les veines d'Alejandro coulent tous les sangs du royaume : sang d'Ibère et de Celte, de Romain, de Wisigoth et de Maure... Alejandro avait l'orgueil, la beauté, la vigueur, le rythme, la brutalité et le panache de l'Espagne séculaire, de cette Espagne qu'elle adorait.

Après un long moment de contemplation silencieuse, son compagnon mit le moteur en marche et ramena Isabel à l'hôtel.

— Vous étiez très belle, ce soir, lui dit-il.

— Merci.

— Vous avez changé d'avis ? reprit-il d'une voix étouffée.

Isabel vit tressaillir son visage.

— Non. Je suis désolée.

— Moi aussi, je suis désolé.

Et, avant qu'elle ait pu s'expliquer, il tourna les talons et disparut à l'angle du couloir.

La corrida se jouait entre Alejandro et Domingo Reyes, dont le style était complètement différent. Ils avaient chacun trois taureaux. Après, Juan combattrait une jeune bête de trois ans. Les deux aînés portaient des habits de lumière et Juan un costume gris en tissu léger — pantalon à taille haute et boléro. Derrière l'arène, en attendant son tour, il avait un air grave et concentré et paraissait beaucoup plus que ses quinze ans.

Au premier rang des spectateurs, l'émotion était grande parmi la vingtaine de parents et d'amis qui attendaient. Assise à côté de *doña* Inez, Isabel percevait l'angoisse de la vieille dame.

— Je ressens la même chose que vous. Nous souffrirons ensemble, lui dit celle-ci.

A l'apparition du torero dans l'arène, *doña* Inez se raidit et, lorsqu'il tomba à genoux pour appeler le taureau et que les cornes effleurèrent son visage, Isabel, d'un geste impulsif, saisit la main brune et ridée.

— Il y a dix ans que je n'ai pas vu toréer Alejandro. Je m'étais juré de ne plus jamais assister à cela. C'est pour Juan que je suis venue aujourd'hui. Dorénavant, il ne faudra pas que je l'oublie dans mes prières...

Alejandro portait un costume de satin noir brodé d'argent, celui qu'il avait la première fois qu'Isabel l'avait vu combattre. Il se montra gracieux, brillant, absolument parfait. Isabel se souvenait de son enthousiasme, la première fois. Comme elle l'avait acclamé, et applaudi, et admiré !

Il obtint les oreilles de son premier taureau. Par malheur, son numéro deux se montra médiocre.

Mais le troisième était une bête magnifique, le *toro brave* dont rêvent les matadors : courageux et intelligent. Il permit à Alejandro de déployer tout son talent et, au moment de la mise à mort, le matador lui rendit hommage en demandant la grâce pour son adversaire. Le président la lui accorda.

Tandis que les aides s'apprêtaient à attirer le taureau gracié dans le toril, d'où il retournerait à son élevage pour qu'on soigne ses blessures, le public hurlait : « *Toro ! Toro !* »

Alejandro simula la mise à mort avec une banderille, obtint un trophée symbolique, puis fit le tour de l'arène en saluant, sous les acclamations. Les chapeaux, les fleurs et les gourdes de vin jaillissaient de toutes parts et jonchaient le sol à ses pieds. Quand il arriva devant sa famille, il regarda gravement sa grand-mère et Isabel. *Doña* Inez saisit alors le bouquet de roses rouges qu'elle avait apporté et le lui lança en criant : « Bravo ! Alec, bravo ! » Ensuite, l'éleveur qui avait fourni le taureau vint saluer, lui aussi.

Après ce triomphe, ce fut au tour de Juan de toréer. Le toril fut ouvert et un jeune taureau déboucha comme un bolide dans l'arène. Un des *banderilleros* d'Alejandro étudia l'animal pendant quelques secondes puis il hocha la tête dans la direction de Juan et le jeune homme bondit dans l'arène en criant :

— Ahaa ! *Toro !*

La bête chargea aussitôt. Juan exécuta une passe, très réussie, puis une autre, plus belle encore. La *muleta* se balançait doucement, les pieds de Juan semblaient cloués au sol, son jeune corps ondulait, exactement comme Alejandro le lui avait enseigné. Il était calme, tranquille, souple.

Le public, après chaque mouvement, criait, applaudissait et Isabel se surprit à crier comme tout le monde. Juan était si jeune, il paraissait si vulnérable que l'émotion la bouleversait.

— Il a le don dans le sang, dit *doñna* Inez.

Alejandro jubilait en pensant que son neveu avait l'étoffe d'un futur *maestro* mais, en même temps, tendu à craquer, éperdu d'angoisse, il restait prêt à bondir dans l'arène au moindre accroc. Avant la mise à mort, il éprouva ce qu'il n'avait jamais éprouvé jusqu'alors : son estomac se noua et, assommé par une peur horrible, il se trouva incapable d'apprécier l'art et la grâce de l'adolescent. Pendant une passe de poitrine, alors que les cornes frôlaient la poitrine immobile de Juan, la sueur se mit à ruisseler sur le visage et le torse du *maestro*. Soudain, le mufle de la bête jeta Juan à terre. Alejandro avait bondi mais Juan, déjà rétabli, lui faisait signe de s'écarter. Le matador obéit à regret. Christ ! se disait-il, je voudrais pouvoir le supplier à genoux d'abandonner ce métier. Quand je pense que c'est moi qui le lui ai enseigné ! Jamais plus je ne formerai un gamin, jamais !

Mais, pour Juan c'était trop tard. L'enfant avait le virus dans la peau. Un jour, si la chance restait avec lui, il serait un grand torero.

Après la mise à mort, Juan fit le tour de l'arène. Il souriait, rouge de plaisir et de fierté, acceptait tous les honneurs avec un naturel étonnant, laissant les hommes de la suite ramasser les fleurs à ses pieds. Mais quand Isabel lui lança un bouquet de roses, il l'attrapa et le garda jusqu'à la fin.

Le soir, Alejandro avait organisé une réception dans sa suite. Isabel mit un ensemble de velours noir, un chemisier de satin blanc et des escarpins vernis. Elle avait retenu ses cheveux en arrière avec un ruban de velours noir. Quand elle pénétra dans le salon bruyant de musique et du brouhaha des conversations, elle fut surprise d'y trouver autant de monde. Puis, comme des flots qui se fendent, la foule lui ouvrit le passage jusqu'à Alejandro qui était accompagné d'une nuée de femmes.

Rien n'a changé, se dit-elle, c'est comme si je regardais un vieux film, comme si rien ne s'était passé entre Alejandro et moi.

Le matador leva la tête et fixa un moment sa belle invitée; puis, après une hésitation, il se tourna vers sa voisine pour lui chuchoter quelque chose au creux de l'oreille.

Isabel salua brièvement Juan et quitta la réception.

Chapitre 15

— Comment as-tu pu agir ainsi ? Tu m'avais promis...

— Ecoute-moi...

— Je ne t'écouterai plus jamais !

Dans la pièce, les employés levèrent la tête et se regardèrent avec embarras. Isabel hésita. Elle venait de sortir de son bureau quand les voix furieuses l'avaient arrêtée. Elle frappa à la porte du bureau d'Esteban.

— Qui est là ?

Elle entra sans répondre.

— Que vous arrive-t-il ! demanda-t-elle d'une voix contenue, tout le monde vous entend !

— Je m'en moque ! cria Pepita.

— Parle moins fort, lui enjoignit Esteban.

— Ne me donne pas d'ordre !

— On ne peut rien te dire, tu n'es pas raisonnable.

— Pas raisonnable, moi ! C'est toi qui...

— Assez ! lança Isabel d'une voix sèche. Cessez cette scène ridicule. Pepita, asseyez-vous et taisez-vous !

Comme la jeune femme ouvrait la bouche pour répliquer, elle ajouta :

— Un mot de plus et vous êtes renvoyée.

— Vous qui prétendiez être mon amie ! rétorqua Pepita sur un ton sarcastique.

— Je suis aussi votre chef de service. Que se passe-t-il, Esteban ?

— Je viens de voir Alvarez. J'ai donné ma démission.

— Et moi j'ai rompu nos fiançailles, hurla Pepita. Il m'a menti. Il m'avait promis d'essayer loyalement.

— J'ai essayé loyalement mais ce n'est pas un travail pour moi. Et toi, si tu tentais honnêtement de vivre à la campagne ?

— Jamais je n'irai vivre sur ton champ de boue !

Esteban pâlit.

— Ce n'est pas un champ de boue et tu ne nous laisses pas une seule chance...

— C'est vrai, dit Pepita en se levant d'un bond et en tenant tête à son fiancé. Ou tu retires ta démission, ou c'est fini entre nous !

— Tu ne peux pas agir ainsi.

— Ah ! Tu crois ça !

Ils se toisèrent un instant, puis Esteban hocha lentement la tête, tourna les talons et sortit.

— Rattrapez-le, dit aussitôt Isabel. Ne le laissez pas partir !

Les narines de Pepita frémissaient.

— Sûrement pas ! Qu'il s'en aille ! Qu'il aille en enfer, je m'en désintéresse totalement !

Sa voix était âpre et méchante. Isabel était médusée. Les deux femmes se mesurèrent du regard, puis l'Américaine sortit du bureau sans ajouter un mot.

Cette créature insensée méritait une bonne leçon. Jamais elle n'aurait dû laisser Esteban s'en aller ainsi. Mais... la façon dont Pepita rejetait ses conseils ne ressemblait-elle pas étrangement à la façon dont elle-même avait refusé d'écouter *doña* Inez : « Epousez-le d'abord et battez-vous après ? » Et maintenant, il était trop tard, Alejandro était perdu pour elle. Il avait retrouvé ses femmes, des Espagnoles dociles qui n'exigeaient rien de lui.

Après cette scène, Pepita et Isabel ne s'adressèrent plus la parole pendant quelques jours. Pepita réitéra sa demande de transfert à New York et Alvarez consulta Isabel à ce sujet. Il lui demanda si elle avait l'intention de garder la jeune Espagnole, comme secrétaire aux Etats-Unis.

— Non, répondit Isabel. Pepita est trop compétente pour un travail de secrétaire-dactylo. Pourquoi ne lui donneriez-vous pas une chance au service des ventes ? Si elle améliore son anglais, elle s'adaptera très bien dans l'équipe de New York.

Alvarez acquiesça.

— Pourquoi pas ? dit-il.

Isabel lui suggéra de muter Pepita tout de suite dans un autre service.

— D'ici mon départ pour les Etats-Unis, je n'ai plus besoin d'elle. Le service dactylographie peut très bien se charger de mes rapports et de ma correspondance.

Alvarez leva les yeux.

— Vous savez, Isabel, j'aimerais que vous changiez d'avis. J'en ai parlé au *señor* Montez. Nous serions enchantés de vous garder ici. Le poste d'Esteban est libre à la direction des exportations. Nous vous l'offrons, ainsi que la vice-présidence de l'entreprise.

— *Señor* Alvarez ! Je ne sais que vous dire ! Je m'étais habituée à l'idée de rentrer dans mon pays. Je vous remercie, mais...

— Réfléchissez. Ne me donnez pas votre réponse

tout de suite. Je ne suis pas pressé, nous en reparlerons dans quinze jours.

Ce soir-là, Isabel pensa qu'en d'autres circonstances elle aurait sauté sur l'occasion avec reconnaissance. Une vice-présidence dans ce pays, quelle situation exceptionnelle pour une femme ! Mais elle ne pouvait envisager de rester en Espagne, à entendre parler d'Alejandro, à voir son nom sur les affiches, sa photo dans les journaux. Rien que le mot « corrida » lui faisait battre le cœur.

Elle lut très tard puis tourna et retourna dans son lit avant de s'endormir. Elle eut l'impression qu'elle venait à peine de fermer les yeux quand la sonnerie du téléphone retentit.

— Allô ?
— Isabel !
— Pepita, c'est vous ?
— Isabel...

Pepita sanglotait.

— Qu'y a-t-il ?
— Esteban...
— Quoi, Esteban ?

Pepita bredouillait, ne parvenait pas à articuler. Isabel reprit :

— Il lui est arrivé quelque chose ?
— Un accident. Oh ! Mon Dieu...
— Où ? Il va bien ? demanda Isabel en se dressant brusquement sur son séant.
— Près de Séville. Il faut que j'aille le rejoindre.
— Bon, très bien. Je téléphone à l'aéroport et je vous rappelle.
— Vous venez avec moi ?
— Si vous voulez. C'est grave ?
— L'homme... l'homme qui m'a téléphoné de l'hôpital dit... qu'il est dans un état critique.

— Il s'en tirera. Faites votre valise et préparez-vous. Je vous rappelle dès que j'ai les réservations.

Isabel retint deux places pour le vol du matin, rappela Pepita et lui donna rendez-vous à sept heures à l'aéroport. Elle réfléchit ensuite quelques minutes, décrocha le combiné et forma le numéro de *La Esperanza*. La sonnerie retentit interminablement et la jeune femme allait raccrocher quand elle entendit enfin la voix d'Alejandro.

— Allô ?
— Alejandro, c'est Isabel.
— Isabel ? Comment allez-vous ?
— Moi, ça va. C'est... Esteban. Il a eu un accident.
— Grave ?
— Je crois.
— Où est-il ?
— A l'hôpital de Séville. Nous partons demain matin, Pepita et moi, mais je pensais... je pensais que vous pourriez y être avant nous.
— Je pars tout de suite.
— Alejandro... Ils se sont disputés. Si jamais il lui arrivait quelque chose...
— Ne parlez pas ainsi. Je vous attends là-bas demain matin.
— Oui, d'accord.
Elle raccrocha lentement.

Le lendemain, le ciel était gris, il pleuvait des trombes sur Madrid et le départ de l'avion fut retardé. Assise dans la salle d'attente, Pepita, blanche comme la craie, se tordait les mains.

— Quelle heure est-il ? Quand partons-nous ? Isabel, renseignez-vous...
— Je viens de le faire. Un peu de patience, le brouillard va se lever.
— Demandez-leur une fois encore.

161

Isabel revint du bureau avec des informations plus précises :

— Nous décollons dans dix minutes.

— Dieu soit loué ! dit Pepita. J'ai cru que j'allais devenir folle.

Pendant le vol, la pauvre fille refusa toute nourriture.

— C'est ma faute, répéta-t-elle en roulant la tête sur le dossier de son siège.

— Mais non, c'est un accident.

— Sans moi, Esteban travaillerait encore à l'entreprise.

Isabel prit les mains froides et inertes de son amie.

— Il conduit trop vite, reprit celle-ci d'une voix plaintive. J'ai toujours détesté cette voiture. Dieu tout-puissant, s'il ne s'en sort pas...

Elle sanglotait éperdument et le cœur d'Isabel se serra.

A Séville, Alejandro n'était pas à l'aéroport. Désappointée, Isabel appela un taxi qui les conduisit à l'hôpital. Alejandro faisait les cent pas dans le couloir. Il vint à leur rencontre dès qu'il les vit sortir de l'ascenseur, embrassa Pepita avec chaleur et garda la main d'Isabel dans la sienne.

— Laissez vos sacs de voyage dans la salle d'attente. Vous avez pris votre petit déjeuner ?

— Comment va-t-il ? Je peux le voir ?

Pepita était agitée, nerveuse.

— Pas encore. Asseyez-vous ici.

— Pourquoi ?

— Parce que le médecin est en train de l'examiner. Il est gravement blessé.

— Quelle horreur ! murmura Pepita. Est-ce si grave ?

— Nous le saurons tout à l'heure.

— Comment est-ce arrivé ? interrogea Isabel.

— Esteban conduisait trop vite et il avait bu. Il suivait une remorque chargée de foin près de Carmona, pas très loin de Séville. En voulant la dépasser, il a perdu le contrôle de sa voiture qui a foncé sur un arbre en faisant plusieurs tonneaux. Heureusement, il a été éjecté.

Pepita ferma les yeux en chancelant. Alejandro la prit par le bras pour la faire asseoir.

— C'est ma faute, murmurait-elle. Je l'avais quitté. J'avais refusé de l'épouser...

Quand le médecin sortit de la chambre d'Esteban, Alejandro se dirigea vers lui. Tandis qu'ils parlaient, les deux femmes, main dans la main, observaient avec anxiété leurs visages soucieux. A la fin, Alejandro posa une question en désignant Pepita et le docteur fit un signe d'acquiescement avant de s'en aller.

— Vous pouvez entrer maintenant, mais Esteban ne vous reconnaîtra pas.

— Que vous a-t-on dit ? Il va s'en tirer ?

— C'est impossible à dire. Voulez-vous que nous entrions avec vous ?

— S'il vous plaît, oui, répondit Pepita.

Ils pénétrèrent tous trois dans la chambre et s'approchèrent du lit où gisait le blessé. Esteban avait un bras dans le plâtre, la poitrine serrée dans des bandages, la tête emmaillotée. Il était aussi pâle qu'un mort et respirait avec difficulté.

— Esteban, chuchota Pepita en lui saisissant la main. Esteban, mon amour, tu m'entends ? C'est moi, Pepita...

Esteban ne bougea pas un cil.

— Oh ! Quel malheur ! dit Pepita dans un souffle.

Elle fondit en larmes et Alejandro lui avança une chaise.

— Je voudrais rester seule avec lui, dit-elle.

— Très bien, nous allons attendre dans le couloir.

Alejandro s'effaça pour laisser sortir Isabel, puis, la porte refermée, la regarda bien en face.

— Et vous, comment allez-vous ? Vous semblez très affectée.

— Je n'ai pas seulement l'air, je le suis !

— Vous voulez un café ?

— Tout à l'heure. Qu'a dit le docteur ?

Alejandro poussa un soupir.

— Il ne sait pas si Esteban va s'en sortir.

— Oh non !

— Mais tout espoir n'est pas perdu. Il a appelé en consultation un neurochirurgien de Madrid qui arrivera par l'avion de ce soir.

— Bien.

— Ma grand-mère voulait venir avec moi, mais je n'ai pas voulu.

— Elle est à *La Esperanza* ?

— Oui. Je l'ai ramenée avec Juan après la corrida de Ségovie. Je ne sais pas ce que vous lui avez dit, mais elle me lance nombre d'allusions à votre sujet, et ne me ménage guère dans ses propos. En définitive, je suis persuadé que c'est elle qui a enlevé mon grand-père, et non l'inverse !

— Ça ne m'étonnerait pas ! Elle m'a proposé de vous jeter un sort !

— Quelle sorcière !

— Une adorable sorcière, je voudrais bien l'avoir pour grand-mère !

— C'est encore possible, vous savez.

Isabel détourna les yeux.

— Tout a été dit, Alejandro, ne revenons pas sur nos décisions.

Le torero poussa un soupir.

— Elle m'a dit qu'avant toute discussion nous devions nous épouser.

— A moi aussi, elle m'a dit la même chose, répondit Isabel. Quelle idée saugrenue !

— C'est ce que je lui ai affirmé, mais elle s'entête. Elle pense que l'amour à lui seul justifie le mariage.

— Je vous en prie ! dit Isabel qui laissa ensuite un silence pénible s'installer.

Puis elle reprit d'une voix étouffée :

— Et si vous alliez voir Esteban ?

Il ne resta que quelques minutes dans la chambre du blessé.

— Pepita est à son chevet, dit-il en revenant. Elle vous demande. Je vais aller téléphoner à ma grand-mère et à Juan. Ils préviendront le reste de la famille. Ça va ? Vous voulez du café ?

Isabel refusa et pénétra dans la chambre.

La journée s'écoula lentement. Les infirmières allaient et venaient en silence. Ce n'était pas la même équipe que le matin, mais leurs gestes étaient les mêmes, leurs mains avaient la même douceur, la même efficacité. Alejandro rapporta des sandwiches auxquels personne ne toucha. A la tombée de la nuit, le neurochirurgien de Madrid arriva, apportant du dehors une bouffée d'air froid. Il resta seul avec le blessé pour l'examiner. Isabel, Pepita et Alejandro attendirent le diagnostic avec anxiété.

— Voilà mon avis, vint leur déclarer le neurochirurgien une fois l'examen terminé. Les radios du crâne montrent que des esquilles menacent le cerveau. Je pense qu'il faut opérer, mais il me faut l'autorisation de la famille.

— Opérer ? répéta Pepita.

— En réalité, nous n'avons pas le choix, *señorita*. Vous êtes de la famille ?

— Non, je suis sa fiancée.

— Il me faut une autorisation écrite de la famille.

— Je suis son cousin, dit Alejandro. Pepita, si vous êtes d'accord, je signerai.

Pendant un instant, la jeune femme eut un air égaré, puis elle hocha la tête.

— Oui, signez, il faut tout tenter.

Cette nuit-là fut pour Isabel la plus longue de sa vie. Quand on emmena Esteban en salle d'opération, Pepita succomba à une crise de nerfs. On lui administra un sédatif et on la coucha. Isabel et Alejandro attendaient, assis dans la salle des visiteurs, en sursautant à chaque bruit de pas. A la fin, épuisée, Isabel se roula en boule dans un coin du canapé et s'endormit. Alejandro la réveilla en la secouant par l'épaule.

— Voilà le docteur.

Le neurochirurgien paraissait fatigué, mais content de lui.

— L'opération a réussi, dit-il. Je crois qu'il va s'en sortir. Il est inconscient et je ne peux pas vous dire quand il se réveillera. Dans quelques heures ou dans quelques jours... Soyez patients.

Isabel poussa un soupir de soulagement.

— Merci, docteur, merci infiniment dit Alejandro.

— Je reste quelques jours à Séville, *señor* Cervantes. Pendant mon séjour, je surveillerai votre cousin.

Quand le chirurgien les eut quittés, Isabel et Alejandro se regardèrent.

— Je vous emmène à l'hôtel, dit-il. Vous êtes épuisée.

— Oui, mais avant je vais voir Pepita.

Cette dernière se réveilla en balbutiant :

— Qu'est-ce... qu'y a-t-il ?

Puis la mémoire lui revint.

— Esteban ! Il... il...

— On l'a opéré, tout va bien.

— Oh ! Mon Dieu, dit Pepita en pleurant. Je peux le voir ?

— Pas maintenant. Il est en salle de réanimation, encore inconscient. Si vous me promettez d'être sage, je vous laisse ici.

— Je vous le promets.

— Vous allez dormir ?

— Oui, Isabel, dit Pepita sur le ton soumis d'une enfant.

— Très bien, alors je m'en vais.

Elle posa un baiser sur la joue pâle de la jeune femme.

Le jour se levait sur Séville. Alejandro emmena Isabel en face des jardins de l'Alcazar, à l'hôtel *Alfonso XIII*, où il avait retenu trois chambres. La jeune femme était harassée, mais il insista pour qu'elle mange un peu avant d'aller se coucher et lui fit servir des œufs brouillés et des toasts, qu'elle grignota du bout des dents.

Devant la porte de sa chambre, elle lui dit :

— Je vais demander qu'on me réveille à midi, je retournerai à l'hôpital ensuite.

— Ce n'est pas la peine de le demander au veilleur de nuit, je vous réveillerai, moi.

— Très bien. Bonne nuit.

— Vous aussi.

Isabel avait le cœur serré de tendresse, et éprouvait l'envie folle de poser la tête sur son épaule et de se blottir dans ses bras. Si seulement il s'approchait, se disait-elle, si seulement il me touchait...

Mais Alejandro n'en fit rien. Il lui dit gentiment « Dormez bien » et la quitta.

Chapitre 16

Trois jours plus tard, Esteban était toujours inconscient. Alejandro était retourné à *La Esperanza* chercher sa grand-mère et Juan. En entrant dans la chambre de son petit-fils, *doña* Inez s'était mise à pleurer, mais elle avait vite retrouvé son calme. Elle forçait Pepita à manger et à se reposer et Pepita lui obéissait à contrecœur.

La vieille dame consacrait beaucoup de temps à Isabel. Elle lui racontait des histoires familiales, lui parlait des parents d'Alejandro et de son grand-père, son propre mari.

— Alejandro me ressemble physiquement, disait-elle, mais il a le caractère de son grand-père.

— Comment avez-vous rencontré votre mari ?

— Je me promenais à cheval. Je faisais partie d'une tribu nomade et nous avions installé notre camp près d'une rivière, en Andalousie. Je n'avais pas le droit de monter l'étalon que j'avais choisi, il était trop impétueux pour moi, mais c'était le printemps, l'air était léger et j'agissais à ma guise. Je galopais comme le vent quand un cavalier vint barrer mon passage. Je l'évitai de justesse et me mis à l'accabler d'un torrent d'injures. C'est alors que je le regardai... Mon Dieu, qu'il était beau ! Il était là, superbe, campé sur son cheval noir, botté de cuir et vêtu comme un prince. Il se moquait de ma fureur, de mes cheveux fous, de mes nombreux jupons... et aussi de mes pieds nus. De mon temps, nous marchions toujours pieds nus et trouvions cela très agréable. Vous savez, il m'arrive encore de me déchausser, à *La Esperanza*, pour retrouver le délicieux contact de l'herbe et des dalles de pierre sous la plante de mes pieds...

— Et qu'a fait votre cavalier noir ? demanda Isabel. Vous avez fait connaissance ?

— Pas du tout. C'était un *gadjo*, il n'était pas gitan, et je n'avais pas le droit de lui parler. J'ai fait tourner mon cheval et je suis repartie comme si j'avais rencontré le diable en personne. Mais Armando — il s'appelait Armando — me suivit en cachette et vint bavarder avec les hommes du camp. Je m'étais cachée dans la roulotte de ma mère.

« Le lendemain, il revint encore, parla avec mes frères et mes cousins et, quand ma mère m'envoya chercher de l'eau, il me suivit à la rivière.

« Il m'a embrassée au bord de l'eau, ajouta-t-elle d'une voix rêveuse. C'était mon premier baiser... Puis il revint tous les soirs et chaque fois je le retrouvais à la rivière. Et la date de notre départ approcha. L'idée de le quitter me rendait folle ; lui-même ne voulait pas me laisser partir. Il est venu voir mes frères pour leur demander ma main, comme on fait dans le grand monde. Bien entendu, mes frères ont refusé — les Gitans ne se marient qu'entre eux. Il m'a donc prise sur son cheval et m'a enlevée.

C'était bien l'histoire que lui avait racontée Alejandro. Isabel mourait d'envie d'en savoir plus.

— Mais vous étiez consentante ? demanda-t-elle.

— Moi, consentante ? Oh ! là là, non ! J'ai griffé et

craché comme un chat sauvage... Mais s'il y avait renoncé, je l'aurais tué.

Elle réfléchit un instant et reprit :

— Il connaissait bien nos usages et savait que le rapt nuptial est reconnu par nos traditions, en plus de l'achat et du consentement mutuel. Evidemment, ma famille n'aimait pas qu'il fût un *gadjo*. Aussi mes frères le poursuivirent-ils, au début, pour le tuer et me reprendre. Mais quand ils apprirent que nous nous étions mariés et que j'attendais un bébé, ils nous accordèrent leur pardon et traitèrent Armando comme un frère.

— Vous êtes merveilleuse, dit Isabel en serrant la vieille dame dans ses bras. Je vous adore !

— Je vous aime aussi, mon enfant, je voudrais tant...

— Je sais.

— Vous ne voulez toujours pas que je lui lance un sort ?

— Non, ce serait inutile.

Quand Juan et sa grand-mère furent repartis pour *La Esperanza*, Isabel se rapprocha de Pepita. Ses heures de veille au chevet d'Esteban l'avaient amaigrie, elle pâlissait de jour en jour et peu à peu son éclat s'évanouissait. La jeune femme avait beaucoup changé.

Le neurochirurgien les avait quittés en leur recommandant de prendre patience.

« Il est entre les mains de Dieu... » avait-il dit en partant.

Un après-midi, Pepita s'était endormie, la tête posée sur le lit, serrant dans sa main la main d'Esteban. Isabel, complètement découragée, se laissait submerger par l'angoisse. Si Esteban meurt, se disait-elle, jamais Pepita ne se le pardonnera... Oh! Mon Dieu, faites qu'il vive, donnez-leur leur chance !

Ses yeux se remplirent de larmes et elle ferma les paupières. Elle dut s'endormir quelques secondes car, lorsqu'elle revint à la réalité, elle vit les cils d'Esteban frémir légèrement. Puis, sous le regard émerveillé de la jeune femme, il esquissa de petits gestes précautionneux. Il s'éveillait enfin !

— Pepita ! chuchota Isabel. Pepita !

Pepita leva brusquement la tête, regarda autour d'elle, puis fixa son fiancé.

— Esteban ! s'écria-t-elle. Oh ! Mon amour, tu m'entends ?

— Pepita... murmura-t-il dans un souffle.

— Oui, c'est moi. Regarde-moi...

Il ouvrit les yeux et dit aussitôt :

— C'était un accident.

— Oui, je sais.

— J'ai mal à la tête.

— Oui... Tu vas aller mieux bientôt, ne t'inquiète pas.

Elle se pencha pour l'embrasser.

— Ne me quitte pas, dit-il.

— Non, mon amour, plus jamais.

Isabel, aveuglée par les larmes, se précipita vers la porte et elle se cogna contre Alejandro qui entrait.

— Il se réveille, balbutia-t-elle, il va mieux. Oh ! Mon Dieu, merci...

Vaincue par l'émotion, elle s'effondra en sanglotant contre la poitrine d'Alejandro.

Ce soir-là, Pepita refusa de quitter l'hôpital mais insista pour qu'Isabel rentre à l'hôtel prendre du repos.

Alejandro la ramena en voiture et insista pour qu'ils dînent ensemble avant de dormir. Il commanda un léger souper dans la chambre et prit un bain en attendant d'être servi. Quand il revint voir Isabel, celle-ci dormait, pelotonnée au pied du lit.

— Debout! lui souffla-t-il doucement. Allez prendre un bain, vous aussi!

Abrutie de sommeil, elle se déshabilla gauchement et se plongea dans le bain bouillant qu'Alejandro lui avait fait couler. Peu après, sans frapper, il entrait dans la pièce et déposait le plateau sur un tabouret à côté de la baignoire.

— Bon appétit!

Isabel sourit et dîna avec délices. Elle se sentait beaucoup mieux.

— Ça va?

— Oui, dit-elle. C'était exquis. Merci, Alec. Bonsoir, à demain!

Il avait enlevé sa veste et sa cravate et déboutonné son col de chemise.

— Demain, je serai parti. J'irai voir Esteban avant de quitter Séville. Rufino est arrivé hier de Genève, il faut que j'aille l'installer à *La Esperanza.*

— Comment va-t-il?

— Très bien. Il marche presque normalement et jure qu'il va faire du domaine le plus bel élevage du monde.

— J'espère qu'il tiendra sa promesse.

— Moi aussi. J'aimerais pouvoir consacrer plus de temps au domaine. Isabel, venez passer quelques jours là-bas.

— Je suis désolée, c'est impossible. Il faut que je rentre à Madrid. Je repars bientôt pour les Etats-Unis et j'ai un travail fou.

— Moi aussi, je pars bientôt pour l'Amérique du Sud. Alors je crois que... nous ne nous reverrons pas.

— Probablement, dit Isabel d'une voix étranglée.

— Vous ne m'embrassez pas ?

— Non, Alec, je ne...

— Mais si...

Elle se retrouva soudain contre lui, si étroitement enlacée qu'elle en suffoquait. Le souffle coupé, sans force, elle se répétait avec désespoir : il m'embrasse pour la dernière fois, et faillit fondre en larmes lorsqu'il s'écarta d'elle. Ses yeux s'étaient rétrécis en deux fentes vertes.

Il la regarda sans rien dire pendant quelques secondes puis, pris d'une impulsion irrésistible, l'emporta jusqu'au lit où il la déposa avec douceur.

Isabel protesta :

— Non, nous avions décidé...

— Je me moque de ce que nous avons décidé, dit-il en s'allongeant à côté d'elle. Ce qui compte, c'est que nous soyons ensemble.

— Non, répéta-t-elle avec entêtement, des femmes vous attendent...

— Ridicule.

— Non, je...

Il lui ferma la bouche d'une main tendre et commença de la caresser avec ardeur, déposant sur son corps de petits baisers enflammés et audacieux. Isabel se sentit transportée par une lame de désir d'une force inouïe. Demain, Alejandro serait parti pour toujours, et ce qui leur arrivait ce soir-là resterait gravé en elle à tout jamais. Alors, avec ferveur, elle se plia à tous ses délicieux caprices.

— Vous comprenez combien je vous désire ? lui demanda Alejandro d'une voix rauque. Savez-vous combien j'ai vécu d'heures de torture à essayer de dominer mon envie de vous ? Comprenez-vous combien je souffre en ce moment, à l'idée que cette nuit est sans doute la dernière que nous passons ensemble ? Il n'y a pas eu d'autres femmes dans ma vie depuis que je vous connais. Je ne désire plus les autres femmes. Je ne désire que vous, je ne veux que vous, je n'aime que vous.

Jamais leur étreinte n'avait eu cette intensité, cette puissance. Refermant ses bras en un piège d'acier, il bougeait contre elle et Isabel, se soumettant à lui avec bonheur, sombrait dans les profondeurs insondables de l'extase.

Elle entendit les cris de passion qu'elle exhalait, elle vit danser des étoiles et sentit la terre bouger sous elle pour la première fois de sa vie. C'est à moi que *doña* Inez a jeté un sort, se dit-elle en se souvenant de la tradition qui veut qu'aux grands moments de bonheur, on sente la terre trembler sous ses pieds.

Au même moment, Alejandro effleura doucement son front et lui dit :

— Ma grand-mère a raison. Marions-nous maintenant. Je vous aime, Isabel.

— Je sais, mais...

— Mais pas assez pour m'accepter comme je suis ?

— Je suis désolée, dit-elle en se raidissant.

Elle voulut s'écarter de lui, mais il la maintenait si fermement qu'elle cessa de se débattre et ne bougea plus. En quelques minutes, elle s'endormit.

Le lendemain matin, il était parti. Sur la table de chevet, il y avait un paquet enrubanné. Dans la boîte, sur un lit de soie rose, Isabel trouva un petit éventail d'or.

Elle le contempla longuement avant de l'accrocher à côté des autres breloques. Comme Alejandro le lui avait promis un jour, le bracelet devenait de plus en plus lourd. Maintenant, à côté du petit taureau et de l'hippocampe, s'était ajouté l'éventail : son dernier message d'amour.

Chapitre 17

Comment Madrid, qu'elle aimait tant auparavant, était-elle devenue si morne et si triste... Isabel n'appréciait plus les rues aux boutiques animées, ni le parc dont les arbres magnifiques étaient maintenant dépouillés et qu'elle avait si souvent parcouru d'un pas vif pour se rendre à la bibliothèque. Les vieilles maisons, les palais ne la charmaient plus, elle n'empruntait plus les rues tellement pittoresques qui mènent aux faubourgs de la capitale !

Hors du bureau, elle ne voyait personne. Le soir, elle rangeait les vêtements, les objets, les bijoux, les livres qu'elle avait accumulés en un an et demi dans son appartement. Elle gardait des gravures, des bibelots, des breloques qu'elle avait aimés...

Et des souvenirs.

Elle avançait souvent la main vers le téléphone et ne pouvait s'empêcher de pleurer. Elle pensait que *doña* Inez avait raison, que jamais elle n'aurait dû rompre avec Alejandro. Mais elle savait aussi que le mariage n'aurait pas supprimé la peur qui la rongeait. Elle n'était pas comme la femme du tableau : la résignation lui était un effort impossible, elle n'aurait pu supporter l'incertitude. Alejandro... vivant ? mort ? Non, elle avait bien fait de ne pas l'épouser. Mais elle l'aimait et son chagrin ne s'apaisait pas.

A sa sortie de l'hôpital, Esteban, qui avait accepté l'invitation de son cousin, passait sa convalescence à *La Esperanza* en compagnie de Pepita. Plusieurs fois par semaine, celle-ci téléphonait à Isabel pour lui donner des nouvelles et bavarder avec elle. Au domaine, tout le monde allait bien. Rufino faisait du bon travail, Alejandro se préparait à partir en tournée, Juan et *doña* Inez parlaient d'Isabel tous les jours et la réclamaient. Quand viendrait-elle enfin leur rendre visite ?

La dernière semaine de novembre, Pepita annonça à Isabel :

— Nous nous marions samedi prochain !

— Merveilleux !

— Vous venez, vous êtes ma demoiselle d'honneur...

Isabel, d'abord, ne répondit pas ; Pepita insista :

— Je vous en prie. Je ne me marierai pas sans vous. Vous m'aviez promis... Esteban et moi, nous ne voulons rien savoir de ce qui s'est passé entre Alejandro et vous. Nous tenons absolument à votre présence.

— Alors je viendrai.

— Vous pouvez arriver vendredi matin ? J'ai trouvé des robes magnifiques pour vous et moi. Vous adorerez leurs dentelles et leurs volants !

Isabel sourit tristement : après la tragédie, la joie, après la pluie, le beau temps. Soit, elle arriverait à Cadix le vendredi matin, et assisterait au mariage qui aurait lieu à l'église de Lebrija...

La semaine passa comme un éclair. Isabel acheta quelques présents pour sa famille américaine et choisit un service en argent pour Pepita. Pour ses derniers jours en Espagne, elle s'offrit un tailleur de voyage en laine, gris tourterelle, qui lui coûta les yeux de la tête. Mais il était superbe, avec son col et ses poignets de renard argenté.

Isabel était tellement élégante que, quels que soient ses chagrins, elle restait tirée à quatre épingles et d'une fraîcheur miraculeuse.

Elle descendit de l'avion à Cadix, impeccablement coiffée et maquillée. Son cœur se serra lorsqu'elle vit que seule Pepita était venue la chercher.

Elles allèrent directement essayer leurs robes. En se regardant dans la glace, Isabel, perplexe, se comparait tantôt à un modèle de magazine, tantôt à un singe déguisé... Mais elle garda ses réflexions pour elle.

— Nous fixerons des fleurs roses dans vos cheveux, dit Pepita. Vous êtes splendide.

— Vous aussi, renchérit Isabel, vous êtes sensationnelle. Dites-moi, vous vous sentez comment ? Nerveuse ?

— Non, impatiente. J'aime Esteban de tout mon cœur et je serai pour lui une bonne épouse. Je travaillerai dans les champs, je labourerai ses vignobles...

Isabel éclata de rire.

— Je ne crois pas qu'il en attende autant de vous !

— C'est moi qui le veux ! Je veux tout partager avec lui. Je veux être tout pour lui. Vous ne pouvez pas savoir ce que c'est que d'aimer quelqu'un à ce point.

Isabel détourna les yeux. C'est possible, pensa-t-elle, c'est possible que je ne le sache pas.

En cette veille de mariage, Alejandro avait organisé à *La Esperanza* une petite fête de famille. *Doña* Inez, vêtue d'une robe de soie noire, avait des allures de reine. Elle portait des boucles d'oreilles en diamants qui étincelaient de mille feux au

179

moindre mouvement de tête. Assise en bout de table, elle présidait, encadrée par Isabel et Alejandro.

Carlos, Juan, Manuel et sa femme venus de Ciudad Real étaient présents. Ainsi que Rufino, qui avait rajeuni de dix ans. Il y avait des fleurs et des bougies partout. On portait toast après toast à la santé des futurs époux. Esteban, encore pâle, buvait peu.

Juan, assis à la gauche d'Isabel, la bombardait de questions, mélangeant l'espagnol à l'anglais quand il ne trouvait plus ses mots.

— Quand pars-tu ? A quoi ressemble New York ? Pourquoi ne viens-tu pas vivre ici, avec moi et l'oncle Alec ?

— Ça suffit, dit Alejandro, laisse Isabel manger un peu.

— Mais je veux savoir ! lança Juan. Je ne connais pas New York.

— Pourquoi ne viendrais-tu pas visiter la ville ? demanda Isabel.

— New York ?

— Mais oui, l'été prochain, par exemple.

Le visage du garçon s'illumina.

— Vrai ? Je pourrai venir te voir à New York ?

— Oui, et en Californie aussi.

— Oncle Alec ! Je pourrai aller voir Isabel ?

— Pas l'été, en tout cas !

— Mais...

— L'été, les toreros sont très occupés, tu l'as oublié ?

— Oui, je crois, avoua son neveu.

— Eh bien ! C'est un tort ! Tu as fait tes débuts, alors l'été prochain, Carlos prévoit déjà que tu participeras à des combats à Séville, à Barcelone, à Palma de Majorque.

— Ah! dit seulement Juan.

— Oui, mon petit... Tu sais, il faut que tu fasses des efforts dès à présent et que tu t'habitues à respecter nos engagements. Sais-tu qu'El Cordobès, quand il a débuté, en 1969, a honoré cent neuf contrats? Et il ne détient pas le record : le grand Litri a fait mieux avec cent quatorze engagements tenus en une saison.

— Mais, l'hiver, je ne peux pas non plus puisque je vais au collège.

— Et pendant les vacances de Pâques? interrogea Isabel.

— Elles tombent pendant la Semaine sainte et tout de suite après il y a beaucoup de corridas.

Les yeux de Juan perdirent de leur joie et sa bouche esquissa une moue de déception.

— Ce n'est que partie remise, tu viendras quand tu le pourras, dit Isabel pour le consoler. Quand tu seras en terminale, peut-être.

— Dans deux ans! s'exclama le garçon. D'ici là, tu te seras mariée et ton mari ne voudra pas de ma présence.

Alejandro, pâle de colère, lui coupa la parole :

— Assez! Ne fais pas l'enfant!

Juan rougit violemment, lança un coup d'œil surpris à son oncle et baissa les yeux sur son assiette.

— Nous arrangerons ça, dit la jeune femme en posant sa main sur les longs doigts de l'adolescent. On doit tout de même pouvoir trouver quelques semaines sans corrida, même en Espagne! Et qui sait, Juan, peut-être que dans deux ou trois ans tu auras envie d'exercer un autre métier tout en continuant à toréer pour ton plaisir. N'aimerais-tu pas être avocat, ingénieur, pilote de ligne?

— J'ai pensé devenir pilote, c'est vrai, comment

le sais-tu ? Quand j'aurai pris ma retraite de matador, à quarante ans, je ferai ce métier-là, j'aimerais
bien.

— A quarante ans ! Mais pour obtenir son brevet
de pilote de ligne, il faut commencer beaucoup plus
tôt, aller à l'université, suivre des cours de maths et
de physique !

Surpris, il ouvrait la bouche pour poser une
question quand Alejandro intervint :

— Il est tard, Juan, c'est l'heure d'aller au lit.

— Mais, oncle Alec...

— Dis bonsoir, je te prie.

— Je n'ai pas mangé mon dessert !

— Moi non plus, intervint alors *doña* Inez. Et je
suis vraiment fatiguée. Juan, si tu allais à la cuisine
nous chercher nos parts ? Nous les mangerions
dans ma chambre en bavardant un peu ?

Elle évita le regard furieux d'Alejandro et
demanda à Isabel :

— Vous n'avez pas envie de prendre votre petit
déjeuner avec moi, demain matin ? A huit heures et
demie, d'accord ?

— Oui, *doña* Inez. Merci, cela me fait très plaisir.
Je vous attendrai.

Elle fit le tour de la table d'un pas un peu raide,
pour aller embrasser Esteban et Pepita.

— Je vous souhaite tout le bonheur du monde.

Puis, ignorant Alejandro, elle se tourna vers Juan.

— A tout de suite, *muchacho* !

Le repas se termina dans une atmosphère
morose ; Esteban et Pepita sortirent faire quelques
pas dans le jardin et les convives se retirèrent les
uns après les autres. Alejandro et Isabel, restés
seuls, se regardèrent en silence, puis il plia sa
serviette avec un soin minutieux et dit d'une voix
ferme :

182

— Juan n'est qu'un enfant influençable. Il vous aime beaucoup.

— Moi aussi, je l'aime beaucoup.

— Vous allez lui manquer quand vous serez partie, dit-il en se versant du vin.

Puis il ajouta sombrement :

— Ce n'est pas très gentil de votre part de lui laisser espérer ce qu'il n'obtiendra jamais.

— Ce qu'il n'obtiendra jamais ? Quoi, par exemple ? Un voyage en Amérique pour me rendre visite ou un métier qu'il choisirait seul ?

— Juan a choisi. Il veut être matador.

— Parce qu'il veut vous ressembler.

— Ce n'est pas la raison.

— Alors c'est que son admiration pour vous le conduit à exécuter tout ce que vous lui ordonnez.

— Jamais je ne l'ai forcé à faire ce qu'il ne voulait pas.

— Allons donc ! dit Isabel d'une voix dure. Juan ferait n'importe quoi pour que vous soyez fier de lui. De plus, vous retrouvez en lui une image de vous-même. Ainsi, à votre retraite, votre neveu sera au sommet de sa carrière, peut-être de sa gloire, et vous aurez l'impression de vivre par son intermédiaire une seconde vie dans l'arène.

— C'est insensé !

— Le risque qu'il puisse être blessé, estropié, tué vous est donc indifférent ? Oh ! Mon Dieu, Alejandro ! Vous n'avez pas peur pour lui ?

Il se dressa si brusquement que sa chaise tomba, puis il fit lever Isabel en la prenant sans ménagement par le coude.

— Vous parlez de peur sans même savoir ce que ce mot veut dire.

— Quels sont mes sentiments, à votre avis, quand vous êtes dans l'arène ? Ce n'est pas de la peur ? Non, de même que le sort de Juan, mon angoisse vous laisse indifférent.

— Indifférent ? Mais, chaque fois que je vois mon neveu toréer, j'ai tellement peur que c'est tout juste si je peux respirer... Ah ! Vous ne pouvez pas vous imaginer car vous n'avez jamais vu un taureau baisser la tête avant de charger et de foncer sur vous. Non ! Vous ne pouvez pas savoir !

— Alors pourquoi incitez-vous votre neveu à embrasser cette carrière ?

Il poussa un profond soupir.

— Vous ne pouvez pas comprendre.

— Parce que je suis américaine ?

— C'est exact, parce que vous êtes américaine.

Le torero se frotta le visage et reprit à voix basse :

— Excusez-moi d'avoir crié. Il est tard et je suis... je suis très fatigué.

Isabel eut envie de le réconforter, de chasser sa tristesse. Il lui suffisait de dire : « Je vous aime, faites comme vous le voulez, je vous aimerai toujours. » Mais elle n'en fit rien.

Dans la chambre rose ce soir-là, le front appuyé aux vitres froides, Isabel regardait la nuit et écoutait murmurer la fontaine du patio. Elle vit Alejandro sortir de la maison, et regarder au loin les montagnes éclairées par la pleine lune. Puis il prit la direction de l'arène d'entraînement. Pour la seconde fois de la soirée, Isabel eut envie d'aller vers lui, de le serrer dans ses bras. Mais elle s'interdit de nouveau de le faire.

Chez *doña* Inez, Luisa tira une table devant la fenêtre et disposa des tasses et des soucoupes en porcelaine de Chine, des pots en argent pour le lait et le café, des ustensiles précieux, des couteaux à manche de nacre. Quelqu'un avait placé dans un vase de cristal deux roses à peine épanouies.

— Ces fleurs, dit *doña* Inez, en se penchant pour les sentir, je parie qu'Alejandro me les a apportées, pour se faire pardonner. Il a été odieux hier soir, il m'a vraiment fâchée.

— Moi aussi.

— Il adore Juan, vous savez.

— Je sais. Il prétend que je ne comprendrai jamais rien aux courses de taureaux parce que je suis américaine.

— Absurde. Je suis espagnole et je ne les comprends pas non plus. Je n'ai vu Alejandro dans l'arène que deux fois : le jour de ses débuts à Madrid et l'autre jour, à Ségovie.

— Mais je croyais que les Espagnoles... Alejandro m'a toujours soutenu que...

— Ne le croyez pas. Américaine ou Espagnole, mère, grand-mère, sœur ou épouse, la femme qui aime un matador est malade de peur chaque fois qu'il entre dans l'arène. Jamais la mère d'Alejandro n'est allée le voir toréer et, jusqu'à son dernier jour, elle n'a cessé de le supplier d'arrêter. Nous n'y pouvons rien, ma chérie, nous l'aimons. Elles sont rares, les femmes comme Angeles Espuri Lozan, qui vit mourir son mari, puis son second époux. Après de tels malheurs, son jeune fils devint matador à son tour. Vous vous rendez compte ! Quelle vie ! En général, un seul torero suffit dans la vie d'une femme... Souvent c'est un de trop ! Pour vous par exemple. C'est dommage, j'aurais aimé vous avoir comme petite-fille.

— Je n'aurais pu souhaiter meilleure grand-mère, dit Isabel en souriant.

Doña Inez regarda le ciel qui, encore voilé par la brume matinale, promettait une belle journée.

— Et si nous déjeunions ? dit-elle, l'heure avance.

Les heures qui précédèrent le mariage furent, comme à l'ordinaire en ce genre de circonstance, fébriles. La maison était pleine de bruit, de voix, de parfums et de fleurs. Après la cérémonie religieuse, les invités devaient assister à une réception donnée à *La Esperanza* et le personnel du domaine était sur le qui-vive, bien qu'Alejandro eût commandé à Lebrija la plus grande partie du festin.

Quand le cortège parvint devant l'église de la petite ville, une nuée d'enfants se mit à crier de joie. Alejandro, qui ouvrait la procession, conduisit Esteban à l'autel. Isabel et Pepita marchaient derrière eux.

La mariée était ravissante. Sa robe blanche, au corsage ajusté, s'évasait en corolle jusqu'au sol. A chaque pas, on devinait ses escarpins en satin. Sur son chignon d'ébène, elle avait fixé avec un peigne en écaille une mantille de fine dentelle blanche. Elle portait à la main un bouquet rond de violettes enrubanné.

Quant à Isabel, elle était vêtue de rose des pieds à la tête.

Esteban et Pepita, très émus, se promirent mutuellement amour et fidélité jusqu'à la mort. Le prêtre leur donna la bénédiction, puis présida à la messe solennelle, accompagnée de chants majestueux et émouvants. Plusieurs fois, le regard d'Isabel chercha celui d'Alejandro, où se lisaient le chagrin et la perplexité.

Après la cérémonie, les invités regagnèrent *La Esperanza*, où les festivités commencèrent. Les coupes de champagne se vidaient et se remplissaient, les musiciens jouaient des tangos effrénés.

Puis on servit le déjeuner à la grande table en fer à cheval dressée dans le patio. Pepita rayonnait.

— Où allez-vous pour votre voyage de noces? demanda la femme de Manuel lorsque les convives eurent quitté la table.

— A Marbella. Nous y avons loué une maison pour un mois. Ensuite, nous nous installerons dans la maison qu'Esteban a fait aménager près de Jerez.

— Vous voilà donc campagnarde! dit Carlos en souriant.

— Mais nous passerons chaque année quelques mois à Madrid pour aller au spectacle et se baigner dans l'atmosphère de la ville, ajouta aussitôt Esteban.

— Qui s'occupera des enfants pendant ce temps-là? demanda Pepita en plaisantant. Six enfants, ça donne beaucoup de travail!

— Six seulement? Tu m'en avais promis dix!

— Et toi, Isabel, combien d'enfants veux-tu? demanda Juan.

Isabel rougit puis adressa un affectueux sourire au garçon.

— Douze si j'étais sûre qu'ils te ressemblent tous, dit-elle.

Elle ajouta en prenant son bras :

— Allons danser, jeune homme!

Alejandro ne les laissa pas longtemps ensemble; quelques minutes plus tard il tapait sur l'épaule de son neveu :

— C'est mon tour, à présent!

Et il prit Isabel dans ses bras.

Etait-ce le champagne?

Le sentiment d'une perte irrémédiable? Isabel se laissa enlacer sans réticence et ses soucis d'avenir s'envolèrent aussitôt dans la danse.

— Vous êtes ravissante, lui dit son cavalier en lui caressant les cheveux. Jamais je ne vous oublierai.

— Moi non plus.

— Je suis sincèrement désolé d'avoir élevé la voix hier soir. Croyez-moi, j'aime Juan plus que s'il était mon fils. Jamais je ne pourrais lui faire de mal.

— Je sais.

— J'ai eu des mots désagréables parce que je ne veux pas qu'il s'attache à vous. Vous nous quittez, vous ne reviendrez peut-être jamais. C'est déjà assez affreux pour moi ! Je ne veux pas que Juan soit malheureux.

Isabel sentit ses yeux se remplir de larmes.

— Alec, je vous en prie !

— Excusez-moi, dit-il en l'entraînant derrière une magnifique gerbe de fleurs. Le garçon d'honneur n'a pas encore embrassé sa cavalière.

Isabel leva son visage vers le sien et ils échangèrent un baiser, curieusement distant et détaché. Presque un baiser d'adieu.

Tard dans l'après-midi, Pepita vint chercher Isabel.

— Pouvez-vous m'aider à me changer ? Nous partons dans quelques instants.

Pepita, qui avait passé un tailleur de voyage rouge, se regarda dans la glace.

— Je suis bien ?

— Vous êtes fabuleuse, *señora* Davalos.

— *Señora* Davalos, répéta Pepita, qui embrassa son amie avec émotion. Je suis si heureuse. Je ne le mérite pas. Oh ! Isabel, si j'avais perdu Esteban...

— N'y pensez plus.

— Je voudrais que vous et Alejandro...

— Pepita...

— Mais je voudrais que vous soyez heureuse. Vous êtes faits l'un pour l'autre. Il vous aime à la folie.

— Je vous en prie, taisez-vous.

— Mais, Isabel, vous ne comprenez pas que vous êtes en train d'agir exactement comme je l'ai fait ! Vous refusez d'épouser Alec parce que vous n'aimez pas son métier !

— Ce n'est pas du tout la même chose. Esteban veut s'occuper de ses terres. Alejandro, lui, veut risquer sa vie en continuant à lutter dans l'arène. C'est complètement différent.

— Ah ! Vous croyez ! dit Pepita en lui prenant la main. Réfléchissez. Nous sommes tous deux tombées amoureuses de ces hommes parce qu'ils nous semblaient différents de tous ceux que nous connaissions... Et la première chose que nous entreprenons, c'est d'essayer de les changer ! Pour cette raison, j'ai failli perdre Esteban et vous allez probablement perdre Alejandro.

— Les situations ne sont pas comparables.

— Ne le quittez pas. Acceptez-le tel qu'il est. Aimez-le tel qu'il est.

Des larmes inondèrent tout à coup les joues d'Isabel. Elle se cacha la figure dans les mains et chuchota :

— Je ne peux pas, Pepita, je ne peux pas...

Le lendemain matin, Isabel se leva tôt. La maison était silencieuse et, après les joyeux tumultes de la veille, il régnait dans les couloirs vides, dans les pièces désertes et désordonnées, une atmosphère morose. Plus tard, la maison aérée et rangée retrouverait son air paisible, son confort coutumier, le parfum d'encaustique et les reflets de soleil sur les meubles massifs. Mais, pour l'heure, l'odorat délicat d'Isabel n'appréciait guère l'odeur de tabac refroidi, de fleurs flétries, de poussière et d'alcool.

La jeune femme refusa le café que lui offrait Luisa et sortit dans le patio. Des grains de riz craquèrent sous ses semelles, une banderole de papier de couleur se colla à son talon. Dehors, il faisait beau. Le ciel était pâle et transparent. Sur les orangers parfumés, les fruits commençaient à mûrir.

Isabel se dirigea vers l'arène et le bruit de ses pas fit lever une famille de perdreaux tapie dans un buisson. Parvenue à l'enceinte, elle s'accouda à la barrière. Elle entendait des sabots et une cape imaginaires marteler le sol et claquer au vent. Pourquoi les hommes toréent-ils ? se demandait-elle. D'où leur venait cette tragique folie ? Le désir de se mesurer aux taureaux, de montrer plus de bravoure qu'eux, d'être considérés comme des héros, justifiait-il ce jeu perpétuel avec la mort ?

Elle se souvenait d'une histoire qu'elle avait lue quand elle avait commencé à s'intéresser à la corrida, l'histoire d'un taureau sauvage qui, après avoir tué neuf chevaux et sauté la barrière de protection devant les gradins, s'était enfui parmi les spectateurs, semant une terreur indicible. Les taureaux qu'élevait Alejandro étaient-ils de cette catégorie ?

— A quoi pensez-vous ?

Isabel fit volte-face. Alejandro se tenait derrière elle.

— Aux taureaux, répondit-elle.

Il se détourna pour contempler son domaine et les crêtes montagneuses dorées par le soleil d'Andalousie.

— J'ai réfléchi à ce que vous m'avez dit hier. Je vais parler sérieusement à Juan et lui faire

190

comprendre que c'est à lui de choisir, que rien ne pourra jamais modifier l'affection que j'ai pour lui. Et puis je ferai en sorte qu'il parte aux Etats-Unis. Voir l'Amérique, c'est le rêve de tout adolescent.

— Je m'occuperai bien de lui et vous le renverrai intact, dit Isabel d'une voix légère.

— J'en suis persuadé !

— Eh bien ! reprit-elle en regardant sa montre, mon avion décolle à onze heures trente. Je ferais mieux de rentrer à la maison. Je regretterai le domaine, il est merveilleux, Alejandro.

— Oui, c'est vrai, et je m'y retirerai avec joie. Mon élevage deviendra le plus beau d'Espagne.

Il regarda la jeune femme d'un air pensif.

— Isabel... je ne m'habitue pas à l'idée de votre départ.

— Et pourtant il approche...

Un long silence les enveloppa.

— Quand quittez-vous l'Espagne ?

— Le 20.

— J'ai une corrida le 12. Vous viendrez ?

— Je crains de ne pas pouvoir.

— Essayez. Vous ne reverrez jamais un pareil spectacle aux Etats-Unis. Après, nous dînerons chez *Botin*.

— Comme autrefois, alors. Bon, d'accord pour une dernière corrida, et une soirée chez *Botin*. J'accepte votre rendez-vous, dit-elle gravement.

Chapitre 18

Ranger, ranger, toujours ranger...

Les jours passaient, l'appartement perdait peu à peu de sa personnalité et devenait de plus en plus nu et triste, encombré seulement de cartons et de caisses. Isabel se sentait perdue. Elle avait l'impression de se préparer à abandonner la vie elle-même. Quand elle avait quitté ses parents et, plus tard, New York, elle n'avait jamais éprouvé cette horrible sensation de vide. C'était comme si elle avait en quelques mois pris racine dans la terre d'Espagne. Elle en était arrivée au point de penser en espagnol et s'exprimait plus subtilement dans cette langue, que dans sa langue maternelle.

Même son métier lui paraissait plus agréable et plus facile à exercer dans ce pays ensoleillé. Elle aimait les vignobles de Jerez de la Frontera, adorait les séances de dégustation, le geste adroit de la main qui tient la pipette et la plonge dans les tonneaux de chêne sans laisser tomber une goutte de vin. Isabel avait sur la langue le goût parfumé de l'amontillado, le velours sucré de l'oloroso, le pâle manzanilla et le vin doux naturel qu'on fabrique avec des raisins desséchés au soleil. A Jerez, elle avait reçu en cadeau d'adieu quelques bouteilles millésimées qu'elle avait emballées avec soin — souvenir d'une époque de sa vie bientôt abolie.

Un après-midi, fatiguée, elle trouva l'appartement vraiment trop pesant et sortit. Il faisait froid mais beau et elle erra longtemps dans les rues, sans but précis. Sans but, vraiment ? Alors, pourquoi se retrouvait-elle devant l'immeuble d'Alejandro ?

Elle chercha la clé dans son sac, prit l'ascenseur et pénétra dans l'appartement silencieux. Là aussi, régnait une atmosphère d'abandon. Le salon était sans vie, la chambre obscure. Isabel resta immobile sur le seuil, bouleversée par les souvenirs. Là, Alejandro l'avait embrassée pour la première fois. Là, elle avait découvert son chapeau rose posé en plein milieu du lit, par défi à la superstition, ancrée chez les matadors, qui prétend qu'un chapeau sur un lit porte malheur pendant les corridas. Là, elle avait senti sur son corps nu la douceur tiède de la couverture en fourrure et les lèvres chaudes de son ami.

Elle poussa un soupir et alla tirer les doubles rideaux. Le soleil inonda la pièce. Elle s'approcha alors du tableau, puisque en réalité elle n'était venue que pour lui. Elle regarda le teint pâle de la femme, ses yeux baissés sur la veste brillante et se laissa envoûter par la lumière qui venait de la fenêtre étroite et par la flamme vacillante du cierge. Elle resta longtemps assise à côté de l'épouse du matador — ma sœur, se disait Isabel — et regarda la nuit tomber. Quand elle se leva, engourdie, sa décision était prise.

La sonnerie du clairon monta dans le ciel gris. Il faisait froid, la pluie menaçait, on entendait le tonnerre gronder au loin.

L'alguazil, tout en velours noir sur son cheval d'un blanc parfait, pénétra dans l'arène, s'arrêta devant la loge du président, agita son chapeau à plumet, et l'orchestre attaqua.

Isabel était assise au premier rang des gradins, guettant l'entrée des trois matadors. Droite et raide, les mains gantées posées sur ses genoux, elle portait son tailleur tourterelle et une toque assortie au collet de renard. Elle s'était maquillée un peu plus que de coutume. A son bras, un seul bijou : le bracelet d'Alejandro. Elle était si belle que tous les yeux se tournaient vers elle, mais son regard restait fixé sur l'arène.

A midi, Alejandro lui avait téléphoné :

— J'ai fait porter un billet chez vous. Après la corrida, Carlos vous conduira à l'appartement. J'ai réservé une table chez *Botin* pour huit heures, nous aurons le temps de prendre un verre avant le dîner.

— Très bien.

— Mes taureaux sont parfaits.

— Tant mieux.

— Il va faire froid, couvrez-vous bien.

— D'accord.

— Alors, je vous vois, ce soir ?

— Oui, mon amour.

Le clairon sonna encore une fois, puis la musique andalouse éclata. L'alguazil, précédant les matadors, avança. Derrière suivaient les picadors, les palefreniers, les *peones*. Alejandro, plus beau que jamais, portait un costume de satin vert très ajusté et Isabel, le cœur battant, ressentit pour lui une bouffée de désir. Après le défilé, les matadors revinrent à leur place juste au-dessous de la jeune femme. Alejandro saisit la cape de parade brodée qu'il portait sur l'épaule et la plia sur la balustrade.

Il avait le second taureau, un bel animal courageux. Mais l'épée n'était pas bonne et l'estocade ne fut pas excellente. Le troisième matador eut plus de chance, travailla mieux sa bête et obtint une oreille en récompense. Pour le quatrième taureau, le torero autorisa trop de piques... Tous les spectateurs savent qu'un bon *maestro* n'utilise les piques que pour ralentir le taureau, le rendre plus docile et lui faire baisser la tête, ils savent aussi que le matador a peur quand il laisse ses picadors blesser gravement l'animal pour le rendre inoffensif.

Le deuxième taureau d'Alejandro était une bête ombrageuse, pour laquelle il ne demanda qu'une seule pique. Il planta lui-même les banderilles, geste qui provoqua un tonnerre d'applaudissements. Inlassablement, les passes se succédaient, impeccablement enchaînées les unes aux autres. Malgré la sueur qui lui mouillait le front, Isabel débordait d'admiration. Alejandro était la perfection même.

Au moment de la mise à mort, la foule retint son souffle. L'animal reçut le coup, trembla et s'écroula lourdement.

— Torero! Torero! criaient les spectateurs debout.

Alejandro obtint les oreilles et la queue, fit un tour d'honneur sous une pluie de fleurs, et vint s'arrêter devant Isabel.

Alors, comme la première fois, elle lui lança sa toque d'un geste impulsif. Trop surpris pour réagir, le torero hésita, puis la rattrapa au vol. La foule attendait, cherchant à localiser la propriétaire de l'élégant chapeau de renard argenté. Mais Alejandro, comme la première fois, le garda. Dans un sourire, il regagna le centre de l'arène et adressa son dernier salut au public, la toque à la main.

Chapitre 19

Elle sortait à peine de l'ascenseur en compagnie de Carlos qu'Isabel entendit la musique. L'imprésario haussa les sourcils.

— Je m'en doutais, dit-il. Les admirateurs, les amis, les pique-assiette... Ils sont impossibles à éviter.

Isabel hocha la tête. Carlos reprit :

— Je fais de mon mieux, pourtant. Vous savez, mon rôle n'est pas toujours facile, surtout avec une vedette comme Alejandro. Je dois recruter ses assistants, organiser ses tournées et, croyez-moi, les problèmes sont nombreux. De plus, vous avez sûrement remarqué l'absence de Paco, le valet d'épée ; il a eu un accident de voiture il y a quinze jours et on a dû lui mettre la jambe dans le plâtre. C'est à lui de sélectionner les armes de la corrida et de refouler les solliciteurs et les curieux. Vous avez vu, aujourd'hui, son remplaçant n'a pas su choisir l'épée pour son premier taureau. Alejandro était furieux.

— Je comprends ça, dit Isabel, la moindre faute peut se payer cher.

— Voilà. J'espère que vous pourrez vous échapper bien vite avec Alec. Vous dînez chez *Botin*, je crois ?

— Oui. Voulez-vous vous joindre à nous ?

— C'est gentil, merci, mais je dois me lever très tôt demain matin.

Il hésita une seconde puis ajouta brusquement :

— Nous avons eu de mauvais débuts, tous les deux, mais je suis content que nous soyons devenus amis. Je voudrais bien que vous veniez avec nous en Amérique du Sud.

— Moi aussi, j'aimerais y aller, répliqua Isabel avec une ombre de sourire.

Carlos poussa la porte de l'appartement et s'effaça pour laisser passer sa compagne. Comme ce soir d'été où elle était venue avec Esteban, la réception battait son plein, le salon était archicomble, bruyant et enfumé.

— Alec doit être en train de se changer, dit Carlos. Que voulez-vous boire ?

— Un jerez, s'il vous plaît.

Alejandro sortit bientôt de sa chambre, vêtu d'un pantalon de flanelle grise et d'une veste bleu marine. Dès qu'il vit Isabel, il s'avança, le visage confus :

— Je suis désolé pour tous ces gens, dit-il. Ils sont venus sans être invités. Paco...

— Je sais. Ça ne fait rien.

Alejandro eut l'air soulagé. Isabel reprit :

— Vous avez brillé, aujourd'hui.

— J'ai eu de la chance pour mon second taureau.

— Non, vous avez vraiment été excellent, insista-t-elle.

Il lui lança un regard surpris mais, avant qu'il ait pu lui faire préciser sa pensée, une femme menue, très élégante, et très brune, s'approcha d'eux en agitant une main alourdie de bagues.

— Alec ! Mon ange !

— Oh ! La barbe ! murmura Alejandro entre ses dents. Carlos, vous ne voudriez pas...?

— Chéri ! minaudait la femme qui se jeta dans ses bras et lui plaqua un baiser sur les lèvres.

— Gabby ! dit le matador qui essayait vainement de la repousser. Quelle bonne surprise ! Je te croyais à Portofino !

— J'en avais assez de Portofino !

Elle repoussa les mèches noires qui tombaient sur ses joues au teint d'ivoire rehaussé par de minces sourcils bruns et des cils longs et épais qui rendaient plus profonds ses yeux sombres.

Dans un rire de gorge, elle saisit la main du matador.

— Je m'ennuyais de Madrid et de toi. Tu ne peux pas savoir à quel point tu m'as manqué.

— Gabby... dit Alejandro qui se contraignait visiblement à rester aimable. Tu connais Carlos, voici Isabel Newman.

— Française ?

— Américaine ! répliqua Isabel, étrangère !

— Etrangère ? C'est à peine croyable !

— Mais pourtant vrai.

— Vous êtes de passage à Madrid ?

— Pas exactement.

— Amie d'Alejandro ?

— Pas exactement.

— Pas une amie ?

La bouche écarlate se pinçait.

— Non, voyez-vous, je suis sa fiancée.

La femme poussa un petit cri et ses yeux noirs s'élargirent de surprise.

— Si vous voulez bien nous excuser, dit Isabel en prenant Alejandro par le bras, nous partons vendredi pour l'Amérique du Sud et nous avons mille choses à régler... Carlos, voudriez-vous être assez aimable pour servir à boire à Madame ? Alec et moi sommes attendus pour dîner.

Le torero, mi-figue, mi-raisin, sourit et suivit Isabel qui fendait la foule des invités.

— Je ne vous savais pas si autoritaire et exclusive, dit-il une fois dans l'ascenseur.

— Vraiment ? dit-elle avec désinvolture.

Comme d'autres personnes montaient dans l'ascenseur ils se turent. Ce ne fut qu'une fois installé au restaurant qu'Alejandro chercha à reprendre la conversation.

— Pourquoi avez-vous parlé ainsi à Gabby ? Par jalousie. Ou pour d'autres motifs ?

— Pour d'autres motifs, répliqua-t-elle alors que le maître d'hôtel approchait.

— Apportez-nous le vin tout de suite, dit Alejandro, nous commanderons le repas tout à l'heure.

Neuf heures approchaient et la plupart des tables étaient occupées. Isabel était si rayonnante avec ses cheveux roux flamboyants et son teint lumineux, en même temps, elle était si distinguée, que les hommes présents ne résistaient pas au plaisir de l'admirer. Alejandro était à la fois fier et furieux de ces hommages. Une fois le vin servi, il reprit :

— Alors ? Qu'y a-t-il ?

Isabel hésita. Cette fois, elle était décidée, elle savait ce qu'elle voulait. Elle prit un peu de vin.

— Un jour, vous m'avez dit que vouliez vivre avec moi.

— C'est toujours mon plus cher désir.

— Avant même que nous parlions de mariage, vous m'avez demandé de vous accompagner en Amérique du Sud.

— C'était il y a bien longtemps.

— Ah ? dit Isabel. Vous savez, mon ami, je vous aime toujours.

Il leva vers elle des yeux surpris et elle s'expliqua :

— J'ai essayé de ne plus vous aimer parce que j'avais peur pour vous... Quand vous m'avez demandée en mariage, j'ai refusé.

— Et maintenant? demanda-t-il en lui prenant la main.

— J'ai annulé mon billet pour New York. Si vous le voulez toujours, je vous accompagnerai.

— Isabel! s'écria Alejandro dont le visage s'illumina. Nous nous marierons avant de partir, c'est encore possible.

— Mais je ne veux pas vous épouser, je veux simplement vivre avec vous.

— Comment!

Il avait crié si fort, il paraissait si choqué, que des visages se tournèrent vers lui.

— Comment! reprit-il, vous voudriez vivre avec moi sans que nous soyons mariés? C'est ridicule.

— Mais non, dit-elle. Vous savez, il existe un vieux dicton qui prétend que les femmes célibataires sont beaucoup plus amusantes que les épouses. Eh bien! nous nous amuserons. Je serai une agréable compagne, personne ne vous aimera jamais comme je vous aime et...

Alec l'écoutait avec stupeur. Isabel parlait, parlait sans pouvoir s'arrêter. Comme ce serait drôle d'être ensemble! Ils voyageraient, ils visiteraient des pays lointains, Cuzco, Tiahuanaco, les Portes du Soleil, les paysages du Machu Picchu. Ils écouteraient la messe de minuit, en plein été de l'hémisphère Sud, à Rio de Janeiro!

— Alec! Combien de breloques aurai-je à mon bracelet en rentrant?

Alejandro la regarda fixement.

— Oh! dit-il d'une voix sèche, vous aurez non seulement des breloques, mais des émeraudes de

Colombie, des fourrures du Pérou. C'est le genre de cadeaux que les hommes offrent à leur maîtresse.

Il fit un signe pour indiquer qu'il désirait commander le repas.

— Des hors-d'œuvre... une truite... et un gigot d'agneau. Pour la suite, nous verrons.

— Bien, monsieur.

Alejandro servit lui-même l'entrée. Il se forçait à bavarder, à plaisanter, mais il ne mangeait pas grand-chose. Quant à Isabel, elle ne parvenait même pas à avaler son vin. Quand Alejandro voulut demander des parfaits à la fraise, elle fit un geste de la main.

— Non, merci, je n'en peux vraiment plus.

— Alors, si nous partions ?

Dehors, il pleuvait, le vent soufflait en tempête. Ils prirent un taxi.

— Je suis fatiguée, je voudrais rentrer chez moi, dit Isabel.

— Ne soyez pas stupide.

— Alejandro, s'il vous plaît, je...

Sans tenir compte de sa prière, il donna sa propre adresse au chauffeur.

— Vous avez fini vos bagages ? demanda-t-il.

— Oui.

— Bien. Nous partons vendredi matin. Vous pourrez laisser vos affaires chez moi jusqu'à notre retour. A ce moment-là, si notre arrangement tient toujours, nous trouverons un appartement pour vous et nous vous installerons dans vos meubles. Naturellement vous ne travaillerez plus.

Isabel serra les poings. Alejandro se montrait si froid, si insultant. Mais n'était-elle pas responsable de son attitude ? N'avait-elle pas été extrêmement maladroite ?

L'appartement d'Alexandro était désert mais

202

chacune des cent personnes qui y avaient séjourné ce soir-là avait laissé une trace de son passage : un verre vide, une marque sur un meuble, une cigarette écrasée, des miettes de sandwich. C'était épouvantablement déprimant.

— J'aimerais bien que vous me serviez un verre, dit Alejandro. Un cognac.

Isabel, d'une démarche raide, se dirigea vers le bar. Alejandro se laissa tomber sur le canapé, et prit le verre qu'elle lui tendait.

— Quel désordre, quelle saleté ! La pièce empeste le tabac froid. Vous seriez gentille de ranger un peu.

— Entendu, répliqua Isabel d'une voix froide.

Elle prit un plateau et rassembla bruyamment des verres vides et des cendriers pleins, qu'elle emporta à la cuisine avant de prendre la toque qu'Alejandro avait déposée sur le lit et de gagner la porte d'entrée.

— Ne vous levez pas ! lui lança-t-elle d'une voix acide.

— Où allez-vous ?

— Je rentre chez moi.

— Nous avons à parler.

— Nous n'avons plus rien à nous dire.

— Ah ! Vous croyez ?

Il se leva d'un bond, la prit par le bras, la jeta dans un fauteuil et s'assit en face d'elle.

— Puisque vous proposez de devenir ma maîtresse, donnez-moi vos conditions. Quel genre d'appartement souhaitez-vous ? Quelle marque de voiture ? Un coupé, un cabriolet ? Et votre chèque mensuel ? De combien voulez-vous qu'il soit ?

Sa main partit toute seule et elle le gifla.

— Espèce de mufle ! cria-t-elle.

— Ne répétez jamais ces paroles, ni ce geste, ordonna-t-il.

Isabel tremblait de rage. Comment ose-t-il? se disait-elle. Et toi, belle innocente, comment as-tu pu le croire quand il te disait qu'il t'aimait et qu'il voulait t'épouser?

Alejandro la toisait d'un air plein d'ironie.

— Moi, je ne suis pas du tout certain que nous nous entendrons bien. J'attends d'une femme plus de docilité et de tolérance, vous êtes trop indépendante... Aussi, je suis désolé, mais j'ai décidé de refuser votre proposition.

Isabel eut un étourdissement, elle n'en croyait pas ses oreilles et se prépara à sortir le plus vite possible.

— Attendez une seconde, j'appelle un taxi.

— Non, je vous remercie.

Elle se précipita dans l'escalier, dévala les étages puis se mit à courir éperdument, aveuglée par la pluie et le vent. Elle traversa la ville dans un brouillard de larmes et prit instinctivement la direction de son appartement. Hors d'haleine, elle s'arrêta brusquement devant chez elle et se mit à sangloter.

Pendant ce temps, Alejandro, malheureux comme les pierres, restait effondré dans un fauteuil. Il se leva pour remplir un verre de cognac, rencontra son reflet, dans la glace du bar. Alors, il brandit son verre et l'envoya se briser contre son image en poussant un cri de colère et de chagrin.

Chapitre 20

La pluie froide de novembre fouettait les vitres de la fenêtre. En se reprochant d'avoir décroché les doubles rideaux, Isabel s'enfonça sous les draps et fut prise d'une quinte de toux. Elle était malade, sa poitrine lui faisait mal, ses yeux larmoyaient. Elle laissait errer son regard sur les caisses empilées et les tapis roulés contre le mur, en se disant que les autres pièces de l'appartement étaient encore plus sinistres. Il n'y avait plus rien dans la cuisine, ni ustensiles ni provisions. Pour ses derniers jours à Madrid, elle avait prévu un autre programme... Mais la grippe l'avait prise au dépourvu et depuis trois jours, bloquée au lit, elle se nourrissait de thé et de biscottes.

Après la longue course sous la pluie qui avait suivi sa dispute avec Alejandro, elle s'était débarrassée du manteau et de l'ensemble gris tourterelle qui lui collait au corps et s'était jetée sur son lit, secouée de sanglots, sans se sécher ni s'essuyer les cheveux. Le lendemain l'avait trouvée fiévreuse, les yeux rouges et la gorge prise. Depuis, pelotonnée sous sa couverture, elle fondait en larmes toutes les fois qu'elle repensait à sa conversation avec Alejandro et à la scène incompréhensible qui avait suivi. Les jours et les nuits s'écoulaient indifféremment. Isabel était seule et terriblement malheureuse.

Ce matin-là, elle se rendit compte que la fin de la semaine était arrivée et qu'Alejandro quitterait l'Espagne le lendemain. Elle se mit de nouveau à pleurer. Jamais elle n'oublierait l'humiliation qu'il lui avait infligée. Jamais.

Il n'avait rien compris.

En fin d'après-midi, la sonnerie du téléphone l'arracha à un sommeil agité. Ses mains brûlantes faillirent lâcher le combiné. C'était Pepita.

— Isabel, c'est vous ?

— Hé oui ! parvint-elle à articuler, c'est moi.

— Je ne reconnaissais pas votre voix.

— Comment allez-vous, *señora* Davalos ?

— Très bien.

— D'où me téléphonez-vous ?

— Nous sommes rentrés hier soir à la propriété. Qu'arrive-t-il, Isabel, vous êtes malade ?

— Un rhume.

— Vous avez l'air bizarre.

— Non, non, c'est ma voix.

— Vous avez vu un médecin ?

— C'est inutile, ça va passer. Et Marbella ?

— Un paradis. Notre chambre donnait sur la mer. Temps splendide, voyage parfait.

— Comment va Esteban ?

— Beaucoup mieux. Il se remet à vue d'œil. Il est tout bronzé.

— Bien, dit Isabel, qui se mit à tousser.

— Vous avez vu Alejandro ?

— Euh... oui, j'ai assisté à la corrida dimanche dernier.

— Mais lui, l'avez-vous vu ? Lui avez-vous parlé ?

— Nous avons dîné ensemble.

— Et alors ?

— Alors, il part demain pour le Venezuela.

206

— Ah !

Pepita resta un instant silencieuse et reprit :

— Vous êtes sûre que vous n'avez besoin de rien ?

— Absolument sûre.

— Téléphonez-moi de New York.

— Oui.

— Prenez bien soin de vous.

— Vous aussi. Toutes mes amitiés à Esteban.

Isabel raccrocha et ferma les yeux. Ses tempes battaient douloureusement.

Le lendemain, elle avait tellement le vertige qu'elle tenait à peine debout. Elle réussit à se traîner jusqu'à la salle de bains pour s'asperger le visage d'eau froide et avaler des comprimés d'aspirine. Quand elle essaya d'aller à la cuisine faire du thé, ses jambes tremblaient si fort qu'elle y renonça. De retour au lit, frissonnante, elle tenta de se rendormir mais, harcelée par son mal de tête, sa toux douloureuse et son chagrin, elle ne parvint pas à trouver le sommeil. Elle avait tellement envie d'entendre la voix d'Alejandro qu'à plusieurs reprises, elle tendit la main vers le téléphone. Non, non, un peu de dignité, se disait-elle, oublie-le, oublie que tu l'aimes. Elle sombra dans un sommeil plein de rêves.

Le clairon sonnait, haut et vif. Alejandro en costume de lumière pénétrait dans l'arène, une femme à chaque bras. La foule l'acclamait. Il saluait, les femmes agitaient des mains aux ongles rouges. La musique s'enflait, Alejandro secouait sa cape rouge, appelait les femmes l'une après l'autre, se jouait d'elles en souriant. Les spectateurs criaient : « Olé ! matardor, olé ! »

Les pieds martelaient les gradins. Tout à coup, Isabel se réveilla. On l'appelait de loin, de très loin.

— Isabel ! Isabel !

Elle se redressa. On cognait à la porte, on tambourinait, on sonnait.

— Isabel !

— Je viens !

J'ai froid, pensait-elle en se traînant vers l'entrée. J'ai froid aux pieds. Pourquoi le plancher bouge-t-il comme le pont d'un navire ?

— Je viens, je viens, marmonnait-elle d'une voix indistincte en trébuchant le long des murs du couloir. Elle ouvrit.

— Alejandro !

— Isabel !

Sa voix venait de loin, résonnait comme un écho.

— Allez-vous-en, chuchota-t-elle.

Puis tout devint noir et elle perdit connaissance.

Alejandro la portait.

— Lâchez-moi, dit-elle.

Il la déposa sur le lit, la couvrit avec soin. Isabel l'entendit téléphoner, d'abord d'une voix polie, puis impérieuse, enfin exaspérée et coléreuse.

Elle sentit un linge frais sur son front.

— Ça va mieux ?

— Ma tête tourne.

— Vous souffrez ?

— Oui, oh oui !

— Vous avez mangé aujourd'hui ?

— Aujourd'hui ? Quel jour est-on ?

— Vendredi.

— Mais vous partez aujourd'hui !

Tout vacillait, tout dansait autour d'elle. Elle avait des hallucinations, ne reconnaissait plus Alejandro, le confondait avec le médecin qui se penchait sur elle.

— Où avez-vous mal ?

— A la gorge ! répondit-elle.
— Et à la tête ?
— Oui, beaucoup.

Elle entendait murmurer autour d'elle. Quelqu'un lui glissa un thermomètre sous la langue. Des mains lui tâtaient le cou, un stéthoscope se promenait sur sa poitrine, dans son dos. Elle se mit à tousser.

— *Señorita* ! Répondez-moi ! Vous supportez la pénicilline ?
— Pas d'allergie...

On la tournait sur le côté. Elle sentit une piqûre dans la cuisse.

— Elle a quarante de fièvre. Gardez-la au chaud. Il faut qu'elle prenne ces comprimés toutes les quatre heures. Donnez-lui quelque chose à manger. Je reviendrai demain matin.
— Merci d'être venu tout de suite, docteur.
— Au ton de votre voix au téléphone, j'ai pensé que ça valait mieux, matador !

Isabel gardait les yeux fermés. Une main lui toucha l'épaule.

— Où cachez-vous vos provisions ? Je ne vois rien dans les placards ni dans le réfrigérateur.
— Il n'y a plus rien. Je pars pour New York.

Un juron bien senti lui parvint aux oreilles. Elle referma les yeux.

Une odeur de soupe aux légumes la tira de sa torpeur.

— Réveillez-vous, il faut manger.

Alejandro l'aida à s'asseoir, mais la cuiller échappa à ses mains tremblantes et elle éclaboussa les draps.

— Oh ! Pardon ! dit-elle.

Alejandro essuya les taches et la fit manger.

— C'est bon, merci beaucoup, dit-elle comme une fillette bien élevée.

— Vous voulez du thé ?

— Non, merci, je veux dormir.

Quand elle se réveilla, elle crut avoir rêvé toute la scène, car son ami n'était plus là. Mais, quelques heures plus tard, Alejandro la réveillait, la soignait, lui donnait du jus de pomme. C'était bon et rafraîchissant.

Isabel se sentait un peu mieux et commençait à se préoccuper de son aspect physique.

— Je dois être affreuse.

— Mais non.

— C'est gentil de... de me soigner, je vais beaucoup mieux. Vous n'avez plus besoin de rester.

— Reposez-vous. Nous parlerons plus tard.

— Mais c'est vrai, vous pouvez partir.

S'il s'en va, je meurs, pensait-elle en son for intérieur.

— Allongez-vous. Je suis là. Dormez.

Il lui remonta les couvertures jusqu'au menton et Isabel détourna le visage pour lui cacher ses larmes. Que m'arrive-t-il ? se disait-elle, je n'arrête pas de pleurer...

Quand elle se réveilla, il faisait nuit. Elle s'étira, heurta par inadvertance Alejandro allongé près d'elle et s'écarta précipitamment.

— Qu'y a-t-il ? Ça ne va pas ?

— Vous... vous êtes dans mon lit ? Il ne faut pas... Vous allez tomber malade.

— Ne vous inquiétez pas pour moi.

Il alluma la lumière.

— Puisque vous êtes réveillée, avalez vos médicaments !

Elle se rendormit aussitôt après.

Le médecin revint le lendemain et le surlendemain. Le troisième jour, la fièvre tomba. Alejandro ne sortait que pour faire les courses. Il préparait de la soupe, lui donnait à manger, lui faisait sa toilette, la peignait avec toute l'habileté possible. Il dormait près d'Isabel, mais ne la touchait que pour lui donner des soins. Quand elle avait des cauchemars et qu'elle criait ou s'agitait, il la prenait dans ses bras et la berçait.

Isabel se sentait faible comme un bébé, la tête complètement vide. Elle profitait de sa fatigue pour ne pas penser, ne pas réfléchir et, surtout, ne pas se poser de questions. Et pourtant, il lui arrivait de regarder Alejandro avec surprise, avec anxiété. Que fait-il là, se demandait-elle. Ne nous sommes-nous pas disputés ? Ne devrait-il pas, en ce moment même, se trouver avec Carlos au Venezuela ? Est-ce que je rêve encore ?

Mais le cinquième jour, à son réveil, elle était seule. Lorsqu'elle appela, sa voix résonna dans l'appartement désert. Se sentant un peu plus vaillante, elle se leva, prit une douche et se lava les cheveux. Elle se sécha avec soin, se frotta longuement le corps avec de l'eau de toilette. Du thé très chaud et très sucré, qu'elle alla boire au salon, enveloppée dans une robe de chambre moelleuse, acheva de la revigorer.

Les jambes couvertes d'une couverture tissée à la main qu'elle avait achetée lors d'un voyage sur la Costa Brava, elle attendit Alejandro, heureuse de lui offrir un spectacle moins pénible que les jours précédents ; mais, les heures passant, elle se trouva obligée de reconnaître qu'il était parti. Après tout, tant mieux ! Il y avait longtemps qu'ils s'étaient dit adieu. La journée s'écoula lentement. A la tombée du jour, Isabel s'endormit, pelotonnée sur le canapé.

Elle plongea aussitôt dans un cauchemar épouvantable. Elle était enfermée dans une immense arène dont elle ne pouvait s'enfuir. Alejandro s'approchait d'elle en brandissant son épée.

— Ahaa! Isabel! criait-il.

Vêtu de satin noir, il balançait sa cape au-dessus d'elle en la provoquant! Elle affrontait les picadors, puis sentait la douleur, le déchirement des piques dans sa poitrine... Les banderilles, maintenant. Alejandro levait le bras.

— Mais c'est moi! criait-elle. Vous ne me reconnaissez pas? C'est moi, Isabel!

Il fonçait sur elle, elle essayait de courir mais ses pieds s'enfonçaient dans le sable. Il levait alors la paire de banderilles, la pointe dirigée vers sa nuque; Isabel ouvrait la bouche pour hurler... Aucun son ne sortait de sa bouche.

L'arène disparut.

— Au revoir, lui disait Alejandro. Je m'en vais en Amérique... J'ai eu beaucoup de plaisir à faire votre connaissance mais le monde est rempli de femmes qui aimeraient bien...

— Qui aimeraient quoi?

— M'accepter comme je suis.

— Mais je vous aime!

— Vraiment? vraiment?

Il s'éloignait, se dirigeait vers un petit avion.

— Alec, ne partez pas.

— Adieu.

— Restez, je vous en supplie.

Elle pleurait. La porte de l'avion s'entrouvrait...

— Isabel?

— Ne partez pas!

— Isabel, réveillez-vous!

Alejandro était là, assis près d'elle. Il la tenait dans ses bras.

— J'étais en train de rêver que vous partiez, lui dit-elle en pleurant.

Son cauchemar lui revint en mémoire et elle se blottit contre son épaule pour dissimuler ses larmes.

— J'aurais dû vous laisser un mot. Je ne pensais pas en avoir pour si longtemps. Vous avez dîné ?

— J'ai bu du thé.

— Mais enfin, Isabel ! s'écria-t-il avec irritation. Vous êtes une enfant...

Doucement, il ajouta :

— Vos cheveux sentent bon.

— Je les ai lavés.

— Vous n'auriez pas dû.

— Je ne supportais plus d'être négligée. J'avais l'impression de devenir laide.

Mon Dieu, se disait-elle, n'ai-je pas des préoccupations plus graves que l'état de mes cheveux ?

— Il faut que je vous parle, reprit Alejandro.

— Oui, bien sûr, il faut que vous partiez. Je comprends. Merci, Alec, pour tout ce que vous avez fait et...

— Calmez-vous, Isabel ce n'est pas ça. Je voulais vous parler de la scène de dimanche dernier.

Il l'aida à se redresser et s'assit à côté d'elle. Isabel se raidit.

— Nous nous sommes mal compris. Nous avons tous les deux dit des choses que nous ne pensions pas.

— Je le sais. Voyez-vous, quand vous m'avez lancé votre chapeau après la corrida, j'ai cru que cela voulait dire que vous aviez décidé de m'épouser. Alors, j'ai été blessé par vos propositions, et j'ai voulu vous blesser aussi.

Isabel hocha la tête.

— J'ai été tellement humiliée quand vous avez

213

parlé de m'entretenir... Je ne veux pas de fourrures ou d'émeraudes, Alejandro. Ce n'était pas du tout mon intention lorsque je vous ai proposé cette solution. J'espérais nous faciliter les choses... nous permettre de vivre ensemble quand même...

Alejandro examina longuement le visage pâle et anxieux.

— Vous vous trompiez. Je vous veux pour épouse. Je veux que vous soyez la mère de mes enfants. Jamais je ne vous ai considérée comme une passade, même lors de notre première rencontre. Mon cher amour...

Il écarta une mèche rousse qui tombait sur son front.

— Mon cher amour, répéta-t-il.

Puis il changea de ton :

— Bon, et maintenant je décide et vous m'obéissez.

— Non ! cria Isabel en s'écartant de lui.

Mais il la prit par les épaules et la força à le regarder en face.

— Si. Je suis sorti ce matin pour téléphoner au domaine et parler à ma grand-mère. Après, j'ai appelé Esteban et Pepita. Dans deux jours, nous prendrons l'avion pour *La Esperanza*. J'ai tout organisé. Le prêtre...

— Le prêtre ?

— Le prêtre nous mariera samedi prochain. Ma grand-mère s'occupe de tout. Juan sera mon garçon d'honneur, Pepita vous aidera à vous habiller et Esteban vous conduira à l'autel.

— Mais vous n'allez pas...

— Le lendemain du mariage, nous prendrons l'avion à Malaga pour la Colombie.

— Pas question de vous laisser tout décider à ma place !

214

— Ah! mais si. Et si vous refusez, Isabel, si vous discutez encore, je vous enlève.

— Oh! Vous êtes un homme insupportable et autoritaire!

— Ah! oui? Et quoi encore?

Il la fixait avec des yeux étincelants.

— Je vous aime, Alejandro. Si vous m'aviez abandonnée, je serais morte de chagrin.

— Jamais je ne vous abandonnerai, dit-il en l'embrassant tendrement. Et vous avez raison, je suis trop arrogant.

Il l'étreignit avec force.

— Il y a beaucoup d'autres choses dont nous devons discuter.

— Vous appelez ça discuter? demanda Isabel. J'ai plutôt l'impression que vous parlez tout seul!

Alejandro sourit, lui posa un petit baiser sur le nez et dit :

— Je vais avoir du mal à vous apprendre à devenir une bonne épouse espagnole!

— C'est vraiment votre but?

Il soupira.

— Non, je vous aime comme vous êtes mais il faut que nous parlions sérieusement.

— De votre métier, bien sûr, dit-elle. Vous avez raison, il faut régler ce problème.

— Isabel, je...

— C'est entendu, je déteste votre métier. Il me terrifie. Je sais que vous ne comprenez pas ma peur mais...

— Vous vous trompez, Isabel, je comprends. A cause de mon neveu. Quand il est dans l'arène, je suis affreusement inquiet moi-même, je vous l'ai dit. Je sais ce que vous éprouvez, mais...

— Mais vous ne pouvez pas changer.

— Ce n'est pas tout à fait exact, corrigea-t-il.

Il prit une profonde inspiration.

— Ecoutez. Voici mon intention. Je vais — nous allons — faire la tournée prévue en Amérique du Sud et au Mexique. J'ai signé, je ne peux pas me dédire. A mon retour d'Amérique, j'ai encore un contrat de dix-huit mois à honorer ici, en Espagne. J'ai déjà signé. Et après...

Isabel le regarda, le cœur battant. Elle osait à peine comprendre.

— Et après, quand j'aurai honoré mes contrats...

Tout à coup, Isabel fut sûre de ce qu'il allait dire. Et elle appréhenda ses paroles. Elle devinait ce qu'il allait faire pour elle.

— Mais c'est toute votre vie, murmura-t-elle. Je sais combien ce métier compte pour vous, vous le faites si bien...

Elle noua les bras autour de son cou et sentit des larmes brûlantes couler sur ses joues. Elle souffrait avec lui, elle était aussi malheureuse que lui à cause de ce qu'il allait perdre.

Mais Alejandro essuya doucement ses larmes et couvrit ses joues de baisers.

— Je serai avec vous, dit-il. Nous aurons *La Esperanza*, l'espérance, notre espérance. Nous allons créer là-bas le plus bel élevage du monde. Et je deviendrai l'imprésario de Juan s'il veut continuer dans cette voie. Je m'occuperai de lui comme Carlos s'est occupé de moi.

Il sourit.

— Vous ne voyez pas d'inconvénient à adopter un fils de quinze ans ?

— Non, surtout si nous veillons à lui donner de nombreux frères et sœurs.

Il se pencha sur elle, la souleva et, sans tenir

216

compte de ses protestations, l'embrassa fougueuse-
ment.

— Autant que vous voudrez, dit-il, les yeux
brillants de joie.

Vous avez aimé ce livre de la *Série Harmonie*.

Mais savez-vous que Duo publie pour vous chaque mois deux autres séries?

Romance vous fera vivre avec vos héroïnes préférées des émotions inconnues, dans des décors merveilleux. Le rêve et l'enchantement vous attendent. Avec *Romance*, partez à la recherche du bonheur...

Série Romance : 6 nouveaux titres par mois.

Désir vous offre la séduction, la jalousie, la tendresse, la passion, l'inoubliable... *Désir* vous entraîne dans un monde de sensualité où rien n'est ordinaire.

Série Désir : 6 nouveaux titres par mois.

Série Harmonie : 4 nouveaux titres par mois.

PAT WALLACE

Le jour, la nuit...

Tout les séparait

– Où voulez-vous que je vous emmène ?
demanda-t-elle à l'inconnu qui
venait de la dépanner.

– Si vous souhaitez vraiment le savoir,
j'aimerais dîner avec vous. Vous êtes
la plus belle femme que j'ai jamais vue.

Et voilà comment Wynn Carson,
la présidente de la société Carson Trucking,
se laisse entraîner dans une aventure
à laquelle rien ne la préparait.
D'emblée, Duke Bardolino se révèle
un bien étrange personnage. Lorsque Wynn
saura enfin qui il est réellement, sa surprise
sera grande. Peut-être va-t-il falloir qu'elle
oublie ce regard doux et farouche, plus noir et
plus mystérieux que la nuit - ce regard
qui la bouleverse tant.

Série Harmonie

SUE ELLEN COLE

Le château des merveilles

Douce musique du passé...

Holly McBain aimait Ryan Sagan.
Mais Ryan aimait - ou croyait aimer -
la sœur de Holly.

Vingt ans plus tard, à force de travail,
elle a brillamment réussi sa vie
professionnelle ; lui est devenu
une star de la chanson. Le passé est loin.

Par quel hasard, ce jour-là, Ryan entre-t-il
précisément dans la banque qu'elle dirige ?
Les souvenirs reviennent au galop :
les joies, les rires de leur jeunesse,
les chagrins aussi... Le feu qui couvait
se rallume et les embrase tous les deux.

Mais comment Holly croirait-elle à la passion
de Ryan ? L'aime-t-il vraiment ? Ou revoit-il
en elle cette sœur rivale et trop séduisante ?

La réponse est peut-être là-bas, très loin,
dans un château en ruine près de la mer, où
Ryan invite Holly à faire un voyage de rêve.

Série Harmonie

STEPHANIE JAMES

La proie du faucon

A-t-elle une chance de le convaincre?

Oui, Jude Ranger est bien
un grand oiseau sauvage,
un seigneur des airs... un faucon.

Lorsqu'il arrive du ciel
aux commandes de son avion,
dans ce village perdu du désert
mexicain où elle s'est réfugiée,
Gilda King, fascinée, ne sait pas
si elle doit lui faire confiance –
ou le craindre.

Jude, il est vrai, semble douter
de sa sincérité: est-elle,
comme elle le prétend, une victime
en danger? Ou une écervelée
qu'il faut ramener de force
chez elle? Jude est-il son
pire adversaire ou son sauveur?

Gilda a décidé d'apprivoiser
ce mystérieux solitaire.
A ses risques et périls...

Duo *Série Harmonie*

Ce mois-ci

Duo Série Romance

Duo Série Désir

Le mois prochain

Duo Série Romance

Duo Série Désir

Achevé d'imprimer sur les presses de l'imprimerie Bussière
à Saint-Amand-Montrond (Cher)
le 26 avril 1984. ISBN : 2-277-83015-1
N° 775. Dépôt légal avril 1984. Imprimé en France

Collections Duo
27, rue Cassette   75006 Paris
diffusion France et étranger : Flammarion